TRÉSOR

DE LA NOUVELLE

Dans la même collection

Trésor de la nouvelle de la littérature française

Trésor de la nouvelle des littératures étrangères

Trésor de la nouvelle de la littérature anglaise

Trésor de la nouvelle de la littérature américaine

TRÉSOR

DE

LA NOUVELLE

de la

littérature

irlandaise

2

Édition établie
par Jean-Pierre Krémer

Notices
d'Alain Pozzuoli

Toutes les nouvelles de ce tome ont été traduites
par Jean-Pierre Krémer

LES BELLES LETTRES

2002

Cet ouvrage a été publié avec l'aide de
l'Ireland Literature Exchange (Translation Fund), Dublin, Irlande.
www.irelandliterature.com
info@irelandliterature.com

www.lesbelleslettres.com
Pour consulter notre catalogue
et être informé de nos nouveautés par courrier électronique

ISBN : 2-251-44206-5

LIAM O'FLAHERTY

Le franc-tireur

Le long crépuscule de juin devenait la nuit. Dublin restait entourée de ténèbres, excepté la faible lumière de la lune, qui rayonnait à travers des nuages floconneux, jetant sur les rues et les eaux sombres de la Liffey une lumière pâle semblable à celle de l'aube qui se lève. Autour des Quatre Courts assiégées les gros canons grondaient. Ici et là de part et d'autre de la ville des mitrailleuses et des fusils troublaient spasmodiquement le silence de la nuit, pareils à des chiens qui aboient dans des fermes isolées. Les Républicains et les Libres Étatistes étaient engagés dans une guerre civile.

Sur le toit d'une maison près d'O'Connell Bridge, un franc-tireur républicain était couché à observer. Il avait posé son fusil à côté de lui et ses jumelles étaient accrochées à ses épaules. Son visage était celui d'un étudiant — mince et ascétique, mais dans ses yeux brillait la froide lueur du fanatique. Ils étaient profonds et pensifs, les yeux d'un homme qui est habitué à regarder la mort.

Il mastiquait un sandwich avec voracité . Il n'avait rien mangé depuis le matin. Il avait été trop excité pour manger. Il finit le sandwich et, sortant une fiasque de whisky de sa poche, il avala une rasade. Puis il remit la fiasque dans sa poche. Il fit une brève pause, se demandant s'il devrait se risquer à fumer. C'était dangereux. Le brasillement pourrait être vu dans l'obscurité, et il y avait des ennemis qui guettaient. Il se décida à courir le risque. Plaçant une cigarette entre ses lèvres, il frotta une allumette, inhala rapidement la fumée et souffla l'allumette. Presque aussitôt une balle s'aplatit contre le parapet du toit. Le franc-tireur tira une seconde bouffée et éteignit la cigarette. Puis, jurant doucement, il rampa sur sa gauche.

Il se redressa précautionneusement et se mit à regarder par-dessus le parapet. Il y eut un éclair et une balle siffla au-dessus de sa tête. Il se laissa tomber aussitôt. Il avait vu l'éclair. Celui-ci était venu du côté opposé de la rue.

Il roula sur le toit jusqu'à une souche de cheminée à l'arrière, et lentement se redressa derrière elle, jusqu'à ce que ses yeux soient au niveau du haut du parapet. Il n'y avait rien à voir — juste le profil incertain de la toiture en face contre le ciel bleu. Son ennemi était à couvert.

C'est alors qu'une voiture blindée traversa le pont et lentement remonta la rue. Elle stoppa quarante mètres plus haut sur le côté opposé de la rue. Le franc-tireur pouvait entendre le halètement sourd du moteur. Son cœur battit plus rapidement. C'était une voiture ennemie. Il voulait tirer, mais il savait que c'était inutile. Ses balles ne pourraient jamais transpercer l'acier qui recouvrait le monstre gris.

Alors à l'angle d'une rue adjacente surgit une vieille femme, sa tête recouverte d'un châle déchiré. Elle se mit à parler à l'homme dans la tourelle de la voiture. Elle montra du doigt le toit où était couché le franc-tireur. Une moucharde.

La tourelle s'ouvrit. La tête d'un homme et des épaules apparurent, tournées vers le franc-tireur. Le franc-tireur leva son fusil et tira. La tête tomba lourdement contre la paroi de la tourelle. La femme s'élança dans la rue adjacente. Le franc-tireur tira de nouveau. La femme tournoya sur elle-même et tomba avec un cri dans le caniveau.

Tout à coup du toit opposé un tir éclata et avec un juron le franc-tireur laissa tomber son fusil. Le fusil cliqueta sur la toiture. Le franc-tireur se dit à lui-même un bruit à réveiller les morts. Il se baissa pour relever le fusil. Il ne put pas le faire. Son avant-bras était mort. « Jésus » murmura-t-il « je suis touché. »

Se laissant tomber à plat ventre sur le toit, il rampa pour retourner au parapet. De sa main gauche il tâta son avant-bras droit touché. Le sang traversait la manche de son manteau. Il ne ressentait aucune douleur — seulement une sensation d'anesthésie, comme si son bras eût été coupé.

Rapidement il tira son couteau de sa poche, l'ouvrit contre le sommet du parapet et déchira la manche. Il y avait un petit trou à l'endroit où la balle avait pénétré. De l'autre côté il n'y avait pas de trou. La balle s'était logée dans l'os. Elle avait dû le fracturer. Il plia son bras sous la blessure. Le bras se replia sans difficulté. Il serra les dents pour contenir la douleur.

Puis, sortant sa trousse de pansements, il la déchira avec son couteau. Il brisa le col du flacon d'iode et laissa couler sur sa blessure les gouttes du liquide piquant. Un accès d'intense douleur le traversa. Il disposa la ouate de coton sur la blessure et l'entoura du pansement. Il noua l'extrémité avec ses dents.

Ensuite il demeura sans bouger contre le parapet, et fermant les yeux, il fit un effort de volonté pour surmonter la souffrance. Dans la rue en bas tout était calme. La voiture blindée s'était retirée rapidement sur le pont, avec la tête du mitrailleur pendant inerte sur la tourelle. Le corps de la femme demeurait sans vie dans le caniveau.

Le franc-tireur resta un long moment à soigner sa blessure et à concevoir un plan pour s'échapper. À l'aube il ne devrait plus être là blessé sur le toit. L'ennemi sur le toit d'en face empêchait toute évasion. Il devait éliminer cet ennemi et il était dans l'incapacité d'utiliser son fusil. Il n'avait qu'un revolver pour le faire. Alors il échafauda un plan.

Ôtant sa casquette, il la plaça sur l'extrémité de son fusil. Puis il fit monter le fusil lentement au-dessus du parapet, jusqu'à ce que la casquette soit visible de l'autre côté de la rue. Presque aussitôt un coup fut tiré et la balle transperça le milieu de la casquette. Le franc-tireur inclina le fusil vers l'avant. La casquette glissa jusque dans la rue. Alors, attrapant le fusil par son milieu, le franc-tireur laissa retomber sa main gauche à l'extérieur du toit, et la fit pendre, inerte. Après quelques instants il fit choir le fusil dans la rue. Puis il se laissa couler sur le toit, laissant trainer sa main.

Rampant rapidement sur la gauche, il porta son regard au-dessus du toit. Sa ruse avait réussi. L'autre franc-tireur, ayant vu tomber la casquette et le fusil, avait cru qu'il avait tué l'homme. Il se tenait maintenant debout devant une rangée de pots de cheminée, regardant de l'autre côté, sa tête se profilant avec netteté contre la lumière d'ouest.

Le franc-tireur républicain sourit et leva son revolver au-dessus du bord du parapet. La distance était d'environ quarante mètres, un tir difficile dans la faible lumière, et son bras droit le faisant souffrir atrocement. Il ajusta son tir d'une façon assurée. Sa main tremblait d'impatience. Serrant les lèvres, il inspira profondément par les narines et tira. Il fut presque assourdi par la détonation et son bras trembla sous l'effet du recul.

Alors, quand la fumée se fut dispersée, il regarda de l'autre côté et poussa un cri de joie. Son ennemi avait été touché. Il vacillait sur le parapet avec des mouvements convulsifs. Il s'efforçait de rester debout, mais lentement il tombait en avant, comme dans un rêve. Le fusil s'échappa de ses mains, heurta le parapet, tomba au-delà, rebondit sur l'enseigne d'un coiffeur en bas et puis cliqueta sur le pavé.

Puis l'homme en train d'agoniser sur le toit s'écroula et tomba en avant. Le corps tournoya sur lui-même dans le vide et heurta le sol avec un bruit sourd. Puis il demeura inerte.

Le franc-tireur regarda son ennemi qui tombait et il frissonna. Le goût du combat disparut en lui. Le remords le tirailla. La sueur se mit à couler à grosses gouttes sur son front. Affaibli par sa blessure et le long jour d'été de jeûne et de veille sur le toit, il se sentit révolté voyant le corps disloqué de son ennemi sans vie. Ses dents s'entrechoquèrent. Il se mit à bafouiller pour lui-même maudissant la guerre, se maudissant lui-même, maudissant le monde entier.

Il se mit à regarder son revolver encore fumant dans sa main et poussant un juron il le lança sur le toit à ses pieds. Le revolver partit sous l'effet du choc, et la balle siffla tout près de sa tête. La frayeur provoquée par la détonation lui fit recouvrer son sang-froid. Ses nerfs se raffermirent. La peur qui lui avait obscurci l'esprit s'évanouit, et il rit.

Tirant la fiasque de whisky de sa poche, il la vida d'un trait. Il se sentit invincible sous l'influence de l'alcool. Il décida d'abandonner le toit et d'aller à la cherche du commandant de sa compagnie pour lui faire son rapport. Tout alentour était calme. Il ne risquait pas grand-chose à traverser les rues. Il ramassa son revolver et le remit sans sa poche. Puis il se glissa vers le bas à travers la lucarne pour atteindre la maison en dessous.

Quand le franc-tireur atteignit le passage au niveau de la rue, il ressentit soudainement le besoin de savoir qui était le franc-tireur adverse qu'il avait tué. Il se dit que l'autre était un bon tireur, indépendamment de qui il était. Il se dit que peut-être il le connaissait. Peut-être celui-ci avait-il été dans sa propre compagnie avant la scission dans l'armée. Il décida de courir le risque de traverser pour pouvoir lui jeter un coup d'œil. Il scruta autour de l'angle pour pouvoir voir O'Connell Street. Plus haut dans la rue il y avait un grand nombre de tirs, mais ici tout était calme.

Le franc-tireur s'élança de l'autre côté de la rue. Une mitrailleuse laboura le sol d'une pluie de balles autour de lui, mais il les évita. Il se jeta contre le sol à côté du corps. La mitrailleuse s'arrêta.

Puis le franc-tireur retourna le corps inerte et regarda dans le visage de son frère.

Extrait de *Spring Sowing*.

LIAM O'FLAHERTY

Départ en exil

La masure de Patrick Feeney était pleine à craquer. Dans la grande cuisine des hommes, des femmes et des enfants étaient alignés le long des murs, par endroits par couches de trois, assis sur des bancs, des chaises, des tabourets, et les uns sur les genoux des autres. Sur le sol de ciment trois couples dansaient une gigue en soulevant force poussière, cependant aussitôt aspirée dans la cheminée par l'énorme feu de tourbe qui brûlait dans l'âtre. Le seul espace libre dans la cuisine était l'angle à gauche du foyer, où Pat Mullaney était assis sur une chaise jaune, sa cheville droite posée sur son genou gauche, un mouchoir moucheté de rouge sur sa tête qui dégageait une forte odeur de sueur, et son visage vermeil se contorsionnant tandis qu'il jouait d'un vieil accordéon en piteux état. Une porte était fermée et les ustensiles de fer-blanc sur laquelle ils étaient suspendus luisaient à la lueur du feu. La porte en face était ouverte et au-dessus des têtes des petits garçons qui se pressaient à l'intérieur aussi bien qu'à l'extérieur, scrutant à l'intérieur les couples qui dansaient dans la cuisine, on voyait un ciel de juin empli d'étoiles et, sous le ciel, des pics de montagnes gris, brumeux et fantomatiques, des champs blanchâtres s'étendant immobiles, tranquilles et sombres. Un calme et profond silence régnait à l'extérieur de la masure et à l'intérieur, malgré la musique et la sauterie dans la cuisine et le chant dans la petite pièce à gauche, où Michael, le fils aîné de Patrick Feeney, était assis sur le lit avec trois autres jeunes hommes, une prenante mélancolie emplissait l'atmosphère.

Les gens dansaient, riaient, et chantaient avec une sorte de gaieté forcée et bruyante qui ne parvenait pas à dissimuler la vraie raison de leur présence ici, dansant, chantant et riant. Parce que la sauterie était organisée pour les deux enfants de Patrick Feeney, Mary et Michael, qui partaient pour les États-Unis le matin suivant.

Feeney lui-même, un paysan à barbe noire et au visage rouge, et d'âge moyen, avec des boutons d'ivoire blanc sur sa chemise de toile de Hollande, et ses mains enfoncées dans son ceinturon de cuir, bougeait nerveusement dans la cuisine, encourageant les gens à chanter et à danser, l'esprit continuellement torturé à l'idée que le lendemain il perdrait ses deux aînés, peut-être pour ne jamais plus les revoir. Il s'obligeait à causer avec tout le monde sur des sujets amusants, apostrophant les danseurs, et se montrait animé et détendu. Mais de temps à autre il lui fallait quitter la cuisine, sous prétexte d'aller à la porcherie jeter un coup d'œil au petit cochon supposé être malade. Et il restait debout appuyé au pignon, et observait avec mélancolie une étoile ou bien une autre, son esprit balayant les idées vagues et étranges qui le traversaient. Il était incapable de comprendre quoi que ce soit de ses pensées, mais à chaque fois il sentait sa gorge se nouer et il frissonnait, quoique la nuit fût douce.

Alors il soupirait et disait avec une contraction de son cou : « Oh, que ce monde est bizarre et il n'y a pas de doute là-dessus. C'est ainsi. » Alors il revenait encore une fois à la masure et se mettait à encourager la sauterie, les rires, les cris et les piétinements sur le plancher

Aux alentours de l'aube, tandis que le sol était envahi par les couples, disposés par quatre, martelant le ciment et se déplaçant d'un côté jusqu'à autre, dansant le « Walls of Limerick », alors que Feeney était de nouveau en train de se rendre au pignon, son fils Michael le suivit au-dehors. Les deux hommes marchèrent côte à côte dans la cour sur les galets gris de la mer qu'on avait éparpillés dessus le jour précédent. Ils marchaient en silence et bâillaient sans qu'ils en eussent envie, faisant semblant de prendre l'air. Mais chacun d'eux se sentait plutôt agité. Michael était plus grand que son père et moins robuste que lui, mais le costume bon marché de serge bleue qu'il avait acheté pour aller en Amérique était trop étroit pour ses larges épaules et la veste trop ample pour sa taille. Ses gestes étaient gauches dans son costume et ses mains paraissaient tout à la fois trop osseuses, trop grandes et trop rouges, et il ne savait qu'en faire. Pendant ces vingt et une années il n'avait porté que les habits d'Inverara, faits à la maison, et les vêtements de confection lui paraissaient aussi incongrus et mal commodes qu'un costume habillé porté par un homme travaillant dans un égout. Son visage avait pris la couleur rouge brique, et ses yeux bleus brillaient avec fièvre. De temps à autre il essuyait la sueur de son front avec la doublure de sa casquette grise de tweed.

Patrick Feeney finit par atteindre son poste habituel au bout du pignon. Il s'arrêta, se balança sur les talons les mains dans son ceinturon, toussa et dit :

— Ce sera une chaude journée.

Le fils vint à son côté, croisa ses bras, et appuya son épaule droite au pignon :

— Père, c'était gentil de l'oncle Ned d'avancer l'argent pour la sauterie, dit-il. Je n'aimerais pas penser que nous aurions été obligés de partir sans quelque chose ou autre, tout comme tout le monde le fait. Je t'enverrai cet argent du tout premier argent que je gagnerai, père… même avant de rembourser tante Mary pour mon argent de la traversée. En quatre mois je devrais avoir remboursé tout cet argent, et puis j'aurai en plus de l'argent à vous envoyer pour la Noël.

Et Michael se sentait plein de force et véritablement adulte en racontant ce qu'il ferait quand il serait arrivé à Boston, Massachusetts. Il était persuadé qu'avec l'énergie qui était la sienne il gagnerait beaucoup d'argent. Conscient de sa jeunesse et de sa force, et animé de la soif ardente d'une vie aventureuse, il oubliait en ce moment la douleur dans son coeur que l'idée de quitter son père avait fait naître en lui.

Le père resta un bon moment silencieux. Il regardait le ciel avec sa lèvre inférieure qui pendait, ne pensant à rien. Il finit par soupirer quand il fut frappé par un souvenir :

— Qu'est-ce qu'il y a ? dit le fils. Ne faiblis pas, pour l'amour de Dieu. Partir sera encore plus dur pour moi.

— Fooh ! dit tout à coup le père avec une feinte brusquerie. Qui faiblit ? J'ai bien peur que tes nouveaux habits te rendent impudent.

Alors il resta un moment silencieux et poursuivit à voix basse :

— Je pensais à ce champ de pommes de terre que tout seul tu as semé le printemps dernier quand j'avais l'influenza. J'ai jamais vu un homme qui aurait pu faire ça mieux. C'est un monde cruel qui t'enlève de cette terre que Dieu a faite pour toi.

— Oh ! de quoi tu parles, père ? dit Michael irrité. En fait, qu'est-ce que quiconque a jamais pu tirer de la terre si ce n'est la pauvreté et le dur travail et les pommes de terre et le sel ?

— Ah oui, dit le père en soupirant, mais elle est à toi la terre, et là-bas — il agita sa main en direction du ciel d'ouest — tu vas donner ta sueur à la terre de quelque autre fermier, ou à ce qui lui ressemble.

— Pour sûr, murmura Michael, fixant le sol avec une expression de mélancolie dans les yeux, c'est un pauvre encouragement que tu me donnes.

Ils restèrent silencieux pendant cinq bonnes minutes. Chacun avait envie de prendre l'autre dans ses bras, de pleurer, de battre l'air, d'exploser par trop-plein de chagrin. Mais ils restèrent silencieux et sombres, comme la nature autour d'eux, réprimant leur chagrin. Alors ils revinrent à la masure. Michael entra dans la petite pièce à gauche de la cuisine, vers les trois jeunes hommes qui pêchaient dans le même marais que lui et qui étaient ses amis intimes. Le père entra dans la grande chambre à droite de la cuisine.

La grande chambre aussi était pleine de monde. Une longue table avait été dressée pour le thé au centre de la pièce, et une douzaine de jeunes hommes environ étaient attablés autour, buvant du thé et mangeant du cake au raisin beurré. Mme Feeney s'affairait autour de la table, servant les mets et encourageant à manger. Elle était aidée par ses deux plus jeunes filles et par une autre femme, une de ses parentes. Sa fille aînée, Mary, qui partait pour les États-Unis le même jour, était assise au bord du lit avec plusieurs autres jeunes femmes. Le lit était un grand lit à baldaquin en pin badigeonné de rouge, et les jeunes femmes s'y étaient entassées. Elles devaient être ainsi une douzaine. C'étaient les amies les plus proches de Mary Feeney, et elles lui tenaient compagnie dans cette position incommode simplement pour prouver combien elles l'aimaient. C'était une coutume.

Mary quant à elle était assise sur le bord du lit les jambes pendantes. C'était une jolie fille de dix-neuf ans avec des cheveux noirs, des joues à fossettes, arrondies et rouges et des yeux bruns songeurs qui semblaient faire naître et disparaître de petites rides sur son petit front bas. Son nez était délicat, petit et arrondi. Sa bouche était menue et les lèvres rouges et ouvertes. Sous son corsage blanc qui formait une fraise autour du cou et son jupon bleu marine qui montrait le dessin de ses jambes tandis qu'elle se tenait au bord du lit, son corps était potelé, doux, bien formé, et dégageait de quelque manière une impression de fraîcheur et d'innocence. De sorte qu'elle paraissait être née pour être caressée et admirée dans un cadre luxueux, plutôt qu'être une fille de paysan, qui devait aller aux États-Unis ce jour pour travailler comme servante ou peut-être dans une usine.

Et tandis qu'elle se tenait assise sur le bord du lit en train de triturer dans ses paumes son petit mouchoir, elle ne cessait de penser fiévreusement aux États-Unis, un instant avec crainte et dégoût, l'instant suivant avec désir et impatience. À l'inverse de son frère elle ne pensait pas au travail qu'elle allait faire ou à l'argent qu'elle allait gagner. D'autres choses la préoccupaient, des choses au sujet desquelles elle se sentait un peu honteuse, à moitié craintive, des pensées d'amour et d'hommes étrangers et de vêtements et de maisons qui avaient plus que trois pièces et où les gens mangeaient de la viande chaque jour. Elle aimait bien la vie, et plusieurs jeunes gens parmi la bonne société d'Inverara l'avaient admirée. Mais…

Par hasard elle leva les yeux et croisa ceux de son père comme celui-ci gardait le silence près de la fenêtre, les mains enfoncées dans son ceinturon. Ses yeux ne quittèrent pas les siens pendant un moment et puis il laissa retomber son regard sans sourire, et les lèvres pincées il se rendit à la cuisine. Elle frémit légèrement. Elle avait un peu peur de son père, bien qu'elle savait qu'il l'aimait tendrement et était très gentil avec elle. Mais ce dernier hiver il l'avait fouettée avec une branche sèche de saule, quand il l'avait surprise un soir derrière la masure de Tim Hernon après la tombée de la nuit, avec les bras de Bartly, le fils de Tim Hernon, autour de sa taille et en train de l'embrasser. Depuis, elle tressaillait toujours un petit peu quand son père la touchait ou lui parlait.

— Oho ! dit un vieux paysan assis à la table à la main une coupe remplie de thé et sa chemise de flanelle grise ouverte sur son cou maigre, poilu et ridé. Oho ! pour juste, c'est une honte pour l'île d'Inverara que de laisser partir une aussi jolie femme que votre fille, Mme Feeney. Si j'étais un jeune homme, je préférerais me laisser écorcher vif plutôt que de la laisser s'en aller.

Il y eut un rire et quelques-unes des femmes sur le lit dirent :

— Honte à toi, Patsy Coyne, tu as beaucoup d'impudence, ce n'est pas croyable.

Mais bientôt les rires cessèrent. Les jeunes hommes assis à la table se sentaient gênés et ne cessaient de se regarder niaisement les uns les autres, comme si chacun d'entre eux cherchait à savoir si les autres étaient amoureux de Mary Feeney.

— Oh, eh bien, Dieu est bon, dit Mme Feeney, au moment de s'essuyer les lèvres avec le bout de son tablier à carreaux, brillant et propre. Ce qui sera sera, et vous savez, l'espoir vient de la mer, mais il n'y a rien à espérer du tombeau. C'est triste et les pauvres doivent souffrir, mais…

Mme Fenney s'arrêta brusquement, consciente que toutes ces platitudes n'avaient aucun sens. Comme son mari, elle était incapable de penser avec lucidité au départ de ses deux enfants. Lorsqu'il arrivait que la réalité de leur départ, peut-être pour toujours, trois mille miles dans un vaste monde inconnu, lui venait à l'esprit il lui semblait qu'un mince morceau de métal dur s'enfonçait à l'avant de son cerveau et restait derrière le mur de son front. Si bien qu'aussitôt elle devenait stupidement consciente de la douleur provoquée par le morceau imaginaire de métal et oubliait l'effroyable perspective du départ de ses enfants. Mais son esprit s'accrochait avec force et efficacité aux choses autour d'elle, au déroulement du repas, à la réception de ses invités, aux mille choses qui doivent être faites dans une maison quand on y donne une fête et qui ne peuvent l'être de façon convenable que par une femme. Ces petites choses, d'une certaine façon, l'empêchaient, au moins pour le moment, d'éclater en sanglots quand elle regardait sa fille et quand elle pensait à son fils, qu'elle préférait à tous ses autres enfants, peut-être parce qu'elle avait failli mourir en lui donnant naissance, et il avait été très délicat jusqu'à l'âge de douze ans. Alors elle poussa du plus profond de sa poitrine ce bizarre rire qui était le sien et qui lui faisait soulever le buste, d'où son tablier à carreaux s'écartait à partir de la ceinture en bouffant largement.

— Quand on commence à parler, dit-elle en haussant une épaule plus haute que l'autre, alors il arrive qu'on dise des choses bêtes.

— Ça c'est vrai, dit le vieux paysan versant bruyamment un peu plus de thé de sa tasse à sa soucoupe.

Mais Mary savait que lorsque sa mère riait de cette façon elle était guettée par l'hystérie. Elle riait toujours comme cela avant d'avoir une de ses crises d'hystérie. Et le cœur de Mary cessa brusquement de battre et puis battit de nouveau à folle allure à mesure que son regard avec une grande pénétration prenait conscience du corps de sa mère, un corps rond et court, avec la merveilleuse masse de cheveux tirant vers le gris sur les tempes et le beau visage aux yeux liquides, doux et bruns, qui se faisaient durs et perçants pendant une seconde tandis qu'ils regardaient un objet quelconque et puis redevenaient doux et liquides, et la petite bouche aux lèvres minces avec de belles dents blanches et les profondes commissures perpendiculaires de la lèvre supérieure et le tremblement qui se produisait toujours au coin de la bouche, avec amour, quand elle contemplait ses enfants. Mary avait une intense conscience de toutes ces petites choses, comme aussi de la petite tache sombre qui se trouvait sur son sein gauche au-dessous du téton et le gonflement qui affectait ses jambes de temps à autre et provoquait chez elle l'hystérie et un jour serait la cause de sa mort. Elle fut saisie d'effroi à l'idée de quitter sa mère et par l'égoïsme de ses pensées. Elle n'avait jamais été encline à penser à quoi que ce soit qui soit important, mais maintenant, d'une façon ou d'une autre pendant un moment, elle eut un aperçu de la vie de sa mère qui la fit frissonner et se prendre en horreur d'être une créature cruelle, sans cœur, paresseuse et égoïste. La vie de sa mère se déroulait devant ses yeux, une vie de misère et de souffrance continuelles, de dur labeur, de douleurs de mises au monde, de maladies, et de nouveau de dur labeur et de faim et d'angoisse. Tout cela se déroula et puis s'effaça à nouveau, un peu de brouillard passa devant ses yeux et elle sauta du lit avec un mouvement de tête plein de vivacité qui lui était habituel quand son corps se mettait en mouvement.

— Assieds-toi un moment, mère, souffla-t-elle, jouant avec un des boutons d'ivoire noir sur le chemisier brun de sa mère. Je m'occupe de la table.

— Non, non, murmura la mère dans un geste de refus de tout son corps, je ne suis pas du tout fatiguée. Assieds-toi, mon trésor. Tu as un long chemin à faire aujourd'hui.

Et Mary soupira et s'en revint sur le lit.

À la longue quelqu'un dit :

— Il fait plein jour.

Et tout d'un coup tout le monde regarda à l'extérieur et dit :

— C'est bien vrai, et que Dieu soit loué.

Le passage de la nuit étoilée à l'aube grise et nette était difficile à remarquer jusqu'au moment où il se produisait. Les gens regardèrent au dehors et virent la lumière du matin se glisser furtivement et silencieusement au-dessus des pics, le long du sol, repoussant les bancs de brouillard vers le haut. Les étoiles avaient pâli. Au loin des moineaux invisibles pépiaient sur leurs perchoirs recouverts de lierre sur une colline à quelque distance ou bien sur une autre. Un nouveau jour était né et alors que les gens le regardaient, bâillaient et commençaient à chercher leurs chapeaux, casquettes et châles pour se préparer à rentrer chez eux, le jour grandit et étendit sa lumière et fit bouger les choses et donna de la voix. Les coqs chantèrent, les merles gazouillèrent, un chien libéré d'une masure par un lève-tôt chassa furieusement un voleur imaginaire, aboyant comme si sa queue avait pris feu. Les gens se dirent au revoir et commencèrent à se déverser de la masure de Feeny. Ils rentraient chez eux pour s'occuper des tâches matinales avant d'aller à Kilmurrage assister

au départ des émigrants sur le paquebot vers l'île principale.
Bientôt la masure fut vide excepté la famille.

Toute la famille se réunit dans la cuisine et resta debout
quelques minutes parlant à moitié endormie de la sauterie, des
gens qui avaient été présents. Mme Feeney voulut convaincre
chacun de se coucher, mais tout le monde refusa. Il était quatre
heures et Michael et Mary devaient partir pour Kilmurrage à
neuf heures. On fit donc du thé et tout le monde s'assit pour
une heure le sirotant et mangeant du cake aux raisins et parlant.
Ils ne parlaient que de la sauterie et des gens qui étaient venus.

Il étaient en tout huit là, le père et la mère et six enfants.
Le plus jeune enfant était Thomas, un frêle garçon de douze
ans, dont les poumons chantaient chaque fois qu'il respirait.
Venait ensuite Bridget, une fillette de quatorze ans, avec des
yeux qui dansaient et une façon de secouer de temps à autre
ses boucles courtes et dorées sans raison précise. Puis il y
avait les jumelles, Julia et Margaret, deux filles de seize ans,
silencieuses, assez stupides, le visage plat. Chez toutes deux
les mâchoires supérieures étaient un peu proéminentes, et
toutes deux étaient de grandes travailleuses et très obéissantes
à leur mère. Ils étaient tous assis à la table, ayant juste achevé
un troisième grand pot de thé, quand brusquement la mère
avala à la hâte le reste du thé dans sa tasse, laissa tomber la
soucoupe en faisant du bruit, et s'empêcha de renifler.

— Allons mère, dit Michael avec sévérité, à quoi ça sert
tout ça ?

— Oui, tu as raison, ma vie, répondit-elle placidement.
C'était juste que je m'étais mise à penser comme c'est bien
d'être assise ici entourée de tous mes enfants, tous mes petits
oiseaux dans mon nid, et puis deux d'entre eux vont s'envoler
et me rendre triste.

Et elle rit, faisant semblant de considérer ses propos comme
plaisanterie stupide.

— Ah, voilà bien une fameuse histoire, dit le père, essuyant sa bouche sur sa manche. Il y a du travail à faire. Toi, Julia, va chercher le cheval. Margaret, tu trais la vache et attention de donner assez de lait au veau ce matin.

Et il donna des ordres à tout le monde comme si c'était une journée ordinaire de travail.

Mais Michael et Mary n'avaient rien à faire et restèrent assis misérablement conscients qu'ils s'étaient coupés sans plus d'attache de la routine de leur vie à la maison. Il n'y avait plus de place pour eux. Dans quelques heures ils seraient des errants sans domicile. Maintenant qu'ils avaient coupé les ponts avec la vie de la maison, la pauvreté et l'aspect sordide de cette vie leur apparurent sous l'aspect du confort et de la plénitude.

Ainsi se passa le matin jusqu'à l'heure du petit déjeuner à sept heures. Les tâches matinales étaient achevées et la famille de nouveau était réunie. Le repas se passa dans le silence le plus complet. Aucun des membres, encore endormi après la nuit sans sommeil et conscient que la séparation aurait lieu dans quelques heures, ne voulait parler. Chacun avait un œuf au petit déjeuner pour fêter l'événement. Mme Feeney, selon son habitude, voulut tout d'abord donner son œuf à Michael, puis à Mary, et comme tous deux le refusèrent, elle en mangea un peu elle-même et donna le reste au petit Thomas dont la poitrine chantait. Puis le petit déjeuner fut débarrassé. Le père alla mettre les paniers à la jument pour pouvoir porter les bagages jusqu'à Kilmurrage. Michael et Mary préparèrent les bagages et commencèrent à s'habiller. La mère et les autres enfants rangèrent la maison. Des gens du vlllage commencèrent à venir dans la cuisine, selon l'usage établi, pour accompagner les émigrants de leur maison à Kilmurrage.

Bientôt tout fut prêt. Mme Feeney n'avait plus l'excuse des tâches ménagères dont elle devait s'occuper pour se déplacer.

Elle dut aller dans la grande chambre où Mary mettait son nouveau chapeau. La mère s'assit sur une chaise près de la fenêtre, son visage se contorsionnant à cause de la marée de larmes qu'elle refoulait. Michael se déplaçait mal à l'aise dans la pièce, ses deux mains nouant un grand mouchoir rouge derrière son dos. Mary se tournait d'un côté à l'autre devant le miroir accroché au-dessus de la cheminée en bois noir. Elle s'occupa un bon moment du chapeau. C'était le premier qu'elle portait, mais il lui convenait à merveille, et il était d'un goût très sûr. Il lui avait été donné par la maîtresse d'école, qui était très attachée à elle, et l'avait elle-même un peu ajusté. Elle avait un instinct pour la beauté dans l'habit et dans le comportement.

Mais la mère, voyant combien sa fille portait bien le tailleur bon marché bleu marine et le corsage blanc à fraise, et le petit chapeau rond et noir avec une épaisse boucle duveteuse et luisante qui recouvrait chaque oreille, et les bas de soie noire avec des motifs bleus dans chacun d'eux, et les petits souliers noirs qui avaient des lacets de trois couleurs dans chacun d'eux, devint tout d'un coup enragée de… Elle ne savait pas ce qui l'enrageait. Pour le moment elle haïssait la beauté de sa fille, et tout lui revint en mémoire, son angoisse au moment de la mettre au monde et de lui donner le sein et la peine qu'elle s'était donnée pour elle, pour le seul profit de la perdre maintenant et de la laisser s'en aller, peut-être pour être prise lascivement à cause de sa beauté et de son goût de la gaieté. Un brouillard de jalousie démente et de haine pour cette beauté impersonnelle qu'elle voyait dans sa fille faillit étouffer la mère, et elle étendit sans s'en rendre compte ses mains devant elle et puis tout aussi brusquement sa colère s'évanouit comme une volute de fumée, et elle éclata violemment en sanglots, se lamentant :

— Mes enfants, oh, mes enfants, loin au-delà de la mer vous serez emportés de moi, votre mère.

Et elle commença à se balancer et elle jeta son tablier par-dessus sa tête.

Immédiatement la masure fut pleine du bruit de lamentations amères. Un cri lugubre s'éleva des femmes assemblées dans la cuisine.

— Loin au-delà de la mer ils seront emportés, commença une femme bientôt suivie par les autres, et toutes se balancèrent et se cachèrent la tête dans leurs tabliers. Le chien bâtard de Michael commença à hurler dans l'âtre. Le petit Thomas s'assit dans l'âtre à côté du chien, et, l'encerclant de ses bras, se mit à pleurer, bien qu'il ne savait pas exactement pourquoi il pleurait, mais il était empli de mélancolie à cause du chien qui hurlait et de tant de gens autour.

Dans la chambre le fils et la fille, à genoux, s'accrochaient à leur mère, qui tenait leurs têtes entre ses mains et voracement faisait pleuvoir des baisers sur leurs deux têtes. Après la première crise de larmes elle s'était arrêtée de pleurer. Les larmes coulaient encore sur ses joues, mais ses yeux luisaient et étaient secs. Une expression féroce les avait envahis, tandis que les prunelles scrutaient au-dessus des têtes des deux enfants, sourcils froncés, fouillant avec une expresssion sauvage et pleins d'effroi, comme si par l'intensité de son regard elle espérait conserver dans son esprit la photographie vivante de chacun d'eux. De ses lèvres tremblantes un bruit bizarre sortait comme « im-m-m-m » et elle ne cessait de les embrasser. De sa main droite elle saisit l'épaule gauche de Mary et avec sa main gauche elle caressa l'arrière du cou de Michael. Sans retenue les deux enfants sanglotaient. Ils restèrent ainsi pendant un quart d'heure.

Puis le père entra dans la pièce, vêtu de ses plus beaux vêtements. Il portait un nouveau gilet de toile de Hollande, avec le devant gris et noir et le dos blanc. Il tenait son soyeux chapeau de feutre noir dans une main et dans l'autre il avait une bouteille d'eau bénite. Il toussa et dit d'une voix faible et douce qui lui était étrangère, tout en touchant son fils :

— Venez maintenant, c'est l'heure.

Mary et Michael se relevèrent. Le père les aspergea d'eau bénite et ils se signèrent. Puis, sans un regard pour leur mère, qui était affalée sur une chaise ses mains croisées sur ses genoux, fixant le sol avec une stupidité muette et les yeux secs, ils quittèrent la pièce. Tous deux embrassèrent à la hâte le petit Thomas qui n'était pas du voyage à Kilmurrage, et alors, main dans la main, ils sortirent de la maison. Au moment où Michael franchissait la porte il prit un morceau de chaux décollé du mur et le mit sans sa poche. Les gens sortirent en file à leur suite, se mettant à traverser la cour jusqu'à la route, comme une procession funèbre. La mère resta dans la maison avec le petit Thomas et deux vieilles paysannes du village. Personne dans la masure ne parla pendant un long moment.

Puis la mère se leva et alla dans la cuisine. Elle regarda les deux femmes, son petit garçon et l'âtre, comme si elle cherchait quelque chose qu'elle avait perdu. Alors elle jeta ses mains en l'air et courut dans la cour :

— Revenez, cria-t-elle ; revenez à moi !

Sauvagement elle promena son regard le long de la route, les narines dilatées, la poitrine haletante. Mais il n'y avait personne qu'elle puisse voir. Personne ne répondait. Il y avait un ruban tortueux de route crayeuse entourée de pics gris brûlés par le soleil. La route se terminait dans une colline et puis disparaissait de la vue. La chaude journée de juin était silencieuse. Tendant sottement l'oreille dans l'espoir qu'un cri lui répondrait, la mère imagina entendre les pics frémissants sous les rayons brûlants du soleil. C'était quelque chose dans sa tête qui chantait.

Les deux vieilles femmes la firent rentrer dans la cuisine.

— Il n'y a rien que le temps ne peut arranger, dit l'une.
— Oui. Le temps et la patience, dit l'autre.

Extrait de *Spring Sowing*.

ELISABETH BOWEN

Un après-midi de dimanche

— Ah ! vous voilà ! s'exclama Mme Vesey au nouveau venu en train de rejoindre le groupe sur la pelouse.

Pendant quelques secondes elle posa sur lui ses doigts légers et secs.

— Henry vient de Londres, ajouta-t-elle.

Les autres personnes autour sourirent d'un air entendu faisant comprendre que ce fait leur était déjà connu — elle ne faisait rien d'autre qu'indiquer à Henry le rôle qui devait être le sien.

— Quelles ont été vos expériences ?... Je vous en prie, racontez-nous. Mais rien d'horrible : déjà nous nous sentons tous un peu tristes.

— L'idée d'entendre pareilles choses me navre, dit Henry Russel, avec l'air de quelqu'un ne voulant pas tellement parler de ses propres affaires.

Tout en tirant une chaise de rotin au milieu du cercle, son regard scruta chacun des visages. Ses yeux allèrent jusqu'à la haie de lilas, dont les panaches bordeaux foncé, rose argent et blancs se déployaient dans la brillance de l'après-midi. Le dernier dimanche de mai resplendissait, mais n'était pas chaud : à peine un vent, un souffle d'air frais, agitait le bord des choses. Là où l'écran de lilas prenait fin, de l'autre côté des prés polis par le soleil, les montagnes de Dublin continuaient à faire onduler leurs lignes, indécises, aujourd'hui presque dépourvues de couleur. Aucune parmi les sept ou huit personnes qui, à travers les divers degrés d'une beauté sans âge, restaient assises là en plein soleil, dans ce coin abrité de la pelouse, n'avait voulu reconnaître que l'air était frais : elles n'avaient pas cessé de s'accommoder de la fraîcheur, ou bien de la rejeter, comme si pour chacune d'entre elles celle-ci avait à voir avec quelque malaise secret. Un air de mélancolie délicate et stylisée, un air d'être retiré derrière une croisée, caractérisaient aux yeux de Henry ces vieux amis à l'ombre desquels il avait grandi. À leur plaisir de l'avoir de nouveau chez eux s'ajoutait, il le devinait, un tabou ou un avertissement − on lui demandait de raconter un peu, mais pas trop. Avec un choc qu'il ressentait en s'asseyant, il se rendit compte comment, sans en être conscient, il avait été digne, ces dernières années, de l'esthétique de vie apprise à leur contact. À présent il sentait sur lui leur charme suspendu. L'odeur démocratique du bus de Dublin, à bord duquel il avait fait le trajet pour venir les retrouver, s'était évanouie de sa personne au moment où il était arrivé à mi-hauteur de l'avenue bordée de marronniers de Mme Vesey.

Sa maison, avec ses hautes croisées formant éventail, était une villa dans le sens italien du terme, juste assez proche de la ville pour rendre la douceur de la campagne particulièrement sensible. En ce moment, les sensations d'un temps de guerre, qui bloquaient son être intérieur, commençaient tout aussi sûrement à s'évanouir − sous l'influence de cet après-midi de dimanche qui s'éternisait.

− Triste ? dit-il, ce n'est pas du tout le cas.

− Ces derniers jours nos vies semblent irréelles, dit Mme Vesey − avec un regard qui se pénétrait de son point de vue. Mais, pire encore, cet après-midi nous nous rendons compte que nous avons tous des amis qui sont morts[1].

1. Pendant la Seconde Guerre mondiale *(N. D. T.)*.

— Dernièrement ? dit Henry, tapotant ses doigts les uns contre les autres.

— Oui, cela concerne tout le monde, dit Ronald Cuffe — avec juste la touche de sécheresse lui permettant de montrer que le sujet finissait par le fatiguer. Allons, Henry, nous comptons sur vous pour nous distraire. Pour nous autres, ces derniers jours, vous êtes tout à fait une figure. De fait, si l'on s'en tient à ce que nous avons entendu sur Londres, c'est déjà quelque chose que vous soyez encore en vie. Est-ce que les choses là-bas sont aussi choquantes qu'on le dit ? — ou est-ce qu'elles sont encore plus choquantes ? ajouta-t-il avec un certain dégoût.

— Henry n'est pas sûr, dit quelqu'un, son air est pontifical.

De fait Henry allait se mettre à retourner dans sa tête ce mot lointain « choquant », quand une diversion provoqua un petit détournement de regards. Une jeune fille sortait d'une porte-fenêtre et se mettait à traverser la pelouse dans leur direction. C'était Maria, la nièce de Mme Vesey. Un tapis pendait sur son bras nu : elle étala le tapis et s'assit aux pieds de sa tante. Les bras croisés, et ses doigts repliés sur ses coudes minces et pointus, elle fixa aussitôt du regard Henry Russel.

— Bonjour, lui dit-elle, sur un ton moqueur, quoique familier.

La jeune fille, à l'image de quelque animal domestique jeune et difficile, paraissait de quelque manière appartenir à chacune des personnes présentes. Mademoiselle Ria Store, l'égérie des artistes, qui s'était mise à nerveusement replier sa cape de fourrure, dit :

— Et où étiez-*vous*, Maria ?

— Dans la maison.

Quelqu'un dit :

— Par ce bel après-midi ?

— Ça l'est ? dit Maria, fronçant d'impétueuse façon ses sourcils sur le gazon.

— Son instinct, dit le juge retraité, en ce moment avertit Maria que c'est l'heure du thé.

— Non, mais c'est ce que fait ceci, dit Maria, montrant paresseusement sa montre-bracelet. Elle indique bien l'heure, merci, Sir Isaac.

Elle fixa de nouveau Henry du regard :

— Qu'est-ce que vous étiez en train de raconter ?

— Vous avez interrompu Henry. Il allait nous dire…

— *Est-ce* si effrayant ? dit Maria

— Les bombardements ? dit Henry. Oui. Mais comme c'est sans rapport avec le reste de la vie, c'est difficile, vous savez, de savoir ce qu'on ressent. Nos sentiments ne paraissent pas disposer de mots pour une chose si absurde. Quant à nos pensées…

— Si ça continue, dit Maria avec une nuance de mépris, vos pensées perdront de leur intérêt.

— Maria, dit quelqu'un, ce n'est pas la meilleure façon d'encourager Henry à parler.

— Relativement à ce qui est important, énonça Maria, il semble que personne ne puisse rien apprendre à quiconque. Il n'y a en fait rien, jusqu'à ce qu'on le connaisse de soi-même.

— Henry a probablement raison, dit Ronald Cuffe, de considérer que ceci… cet outrage est *sans* importance. Il n'y a point place pour lui dans l'expérience humaine ; apparemment il ne peut pas se faire une place à soi. Il n'y aura pas de littérature.

— Littérature ! dit Maria. On peut voir, monsieur Cuffe, que *vous* avez toujours été en sécurité.

— Maria, dit Mme Vesey, tu es un rien impertinente.

Sir Isaac dit :

— Qu'est-ce que Maria cherche à savoir ?

Maria arracha un brin d'herbe et le mordilla. Quelque chose de calculateur et de passionné apparut en elle ; elle semblait être accroupie à l'intérieur d'elle-même. Elle dit sèchement à Henry :

— Mais vous allez rentrer, naturellement ?

— À Londres ? Oui, je suis seulement en congé. De toute façon on ne peut pas rester longtemps absent.

Immédiatement après avoir parlé Henry se rendit compte que ses paroles insidieusement avaient offensé ses vieux amis. Leur position était, il en devint conscient, plus difficile que la sienne, et il n'aurait pu prononcer paroles plus cruelles. Mme Vesey, avec son sourire de circonstance, qui n'était jamais tout à fait dénué de charité, dit :

— Alors, nous devons espérer que votre séjour ici sera agréable. Est-il vraiment si bref ?

— Et faites attention, Henry, dit Ria Store, ou vous trouverez Maria cachée dans vos valises. Et cela provoquerait de l'embarras, dans un port anglais ! On sent qu'elle projette à tout moment de nous quitter.

Henry dit, plutôt platement :

— Pourquoi est-ce que Maria ne voyagerait pas comme tout le monde ?

— Pourquoi faudrait-il que Maria voyage à tout prix ? Il n'y a qu'un seul voyage aujourd'hui — celui vers le danger. Nous ne sentons pas que cela lui soit nécessaire.

Sir Isaac ajouta :

— Nous craignons, néanmoins, que cela ne soit le voyage que Maria souhaite faire.

Maria, lovée sur la pelouse avec la nonchalance d'un félin, avait pendant tout ce temps gardé ses yeux baissés. Un nouveau souffle d'air frais surgit à travers les lilas, faisant se heurter les fleurs l'une contre l'autre sans bruit. Une des femmes, surprise à l'improviste, frissonna, puis sa réaction se mua en rire. Miss Store, fit une réflexion fortuite sur l'amour, elle parlait avec un savoir froid et abstrait.

— Maria n'a pas d'expérience, pas la moindre ; elle espère rencontrer des héros — elle n'en rencontre point. Alors maintenant elle espère trouver ces héros de l'autre côté de la mer. Il se pourrait même, Henry, qu'elle fasse de vous un héros.

— Ce n'est pas cela, dit Maria, qui avait entendu.

Mme Vesey se pencha et toucha son épaule. Elle envoya la jeune fille à la maison pour voir si le thé était prêt. Peu après ils se levèrent tous et suivirent — par groupes de deux ou trois, tête posément levée ou encore délibérément inclinée par le poids des pensées. Henry savait qu'ils avaient renoncé à l'idée de l'été, qu'ils ne reviendraient plus sur la pelouse. Dans la salle à manger, où les murs blancs et les verres des gravures maintenaient les reflets d'étés — brûlait le feu de bûches qu'ils étaient si heureux de contempler. Son épaule contre le manteau de la cheminée, Maria restait à les regarder prendre place autour de la table ronde. Tout ce que Henry avait entendu dire, elle l'avait oublié — dans ces quelques minutes où elle avait été toute seule elle avait renoué avec une période vierge de la vie qui était intacte et pure. À tel point que Henry prit conscience du caractère impitoyable de son manque de respect pour le passé, même le passé d'il y a quelques minutes. Elle s'avança et posa ses deux mains sur deux chaises — pour signifier qu'elle avait retenu une place pour lui.

Lady Ottery, se penchant à travers la table, dit :

— Je dois vous demander — nous nous sommes laissé dire que vous avez tout perdu — mais cela ne peut pas être vrai ?

Henry dit, à contre cœur :

— C'est vrai que j'ai perdu mon appartement, et tout ce qu'il y avait dedans.

— *Henry*, dit Mme Vesey, toutes vos belles choses ?

— Oh, mon Dieu, dit Lady Ottery, bouleversée, je croyais que cela n'aurait pas pu être possible. Je n'aurais pas dû poser la question.

Ria Store regarda Henry d'un air critique.

— Vous prenez cela avec trop de calme. Qu'est-ce qui vous est arrivé ?

— Cela fait un certain temps déjà. Et cela arrive à beaucoup de gens.

— Mais pas à tout le monde, dit miss Store. Je ne vois pas de raison, par exemple, pourquoi cela devrait m'arriver à moi.

— On ne peut pas s'empêcher de vous regarder, dit Sir Isaac. Vous devez excuser notre étonnement. Il y a eu une époque, Henry, où je pense que nous avions tous le sentiment de bien vous connaître. Si cela n'est pas une question pénible dans une telle conjecture, pourquoi est-ce que vous n'avez pas expédié vos objets de valeur hors de la ville ? Vous auriez même pu les expédier chez nous.

— J'étais attaché à ces objets. Je voulais vivre avec eux.

— Et maintenant, dit miss Store, vous vivez sans rien, pour toujours. Est-ce que vous pensez vraiment que c'est ça la vie ?

— Ça ne m'est pas difficile. Je peux facilement me contenter de peu. Par hasard, j'étais à l'extérieur quand l'endroit a été visé. Vous êtes en droit de vous dire — et je me range à votre point de vue — qu'il aurait été préférable, à mon âge, de passer à l'éternité avec quelques pièces de cristal et de jade et une douzaine de tableaux. Mais, en fait, je suis tout content de survivre. D'exister.

— À quel niveau ?

— À n'importe quel niveau.

— Allez, Henry, dit Ronald Cuffe, voilà un cynisme qu'on ne peut aimer chez vous. Vous parlez de votre âge : pour nous, bien sûr, cela ne compte pas. Vous êtes dans votre maturité.

— Quarante-trois ans.

Maria jeta un regard de travers à Henry, comme si, après tout, il n'était pas un ami. Mais elle dit alors :

— Pourquoi devrait-il souhaiter être mort ?

Son geste fit déverser du thé sur la nappe en dentelle, et elle la frotta distraitement avec son mouchoir. Le tiraillement de son geste sur le tissu fit tomber un pétale d'une pivoine chinoise située dans une coupe au centre dans une assiette de sandwichs aux concombres. Cette amorce de cataclysme avait été observée avec fascination par les gens plus âgés, avec une sorte d'apaisement, comme si elle constituait une garantie contre quelque chose de plus grave.

— Henry n'est pas jeune et sauvage, comme vous l'êtes. La vie de Henry est — ou était — une affaire d'attachement, dit Ria Store.

Elle dirigea ses yeux, sous leurs paupières, vers Henry.

— Je me demande quelle part de vous *a été* soufflée à l'infini ?

— Je n'ai aucun moyen de le savoir, dit-il. Vous avez peut-être ?…

— … Du gâteau au chocolat ? dit Maria.

— S'il vous plaît.

La cuisinière des Vesey s'était rendue célèbre en matière de gâteau fourré d'une nappe de chocolat à l'époque où Henry était un jeune garçon de sept ou huit ans. L'aspect, puis le goût, du segment brun lui avait fait jeter un pont avec ces après-midi de dimanche quand il avait été conduit ici par sa mère ; ensuite, pendant une période de son adolescence quand il avait été incapable de manger, seulement de regarder autour de lui. La beauté de Mme Vesey, qui à cette époque touchait à ses derniers feux, l'avait subjugué quand il avait à peu près dix-neuf ans. Dans Maria, enfant d'un mariage tardif de son frère, il pouvait voir en ce moment cette beauté, ou espèce de génie physique, en son début. Dans Maria, ceci avait lieu sans hésitation, sans l'influence épisodique qui avait lié Mme Vesey — oui, et l'avait lié, lui-même avec elle, depuis son adolescence — dans un cercle de demi-sourires interrogateurs. En revanche, il accusait la jeune fille qui l'émouvait — qui paraissait destinée par une sorte d'anticipation au nouvel ordre de vie catastrophique *extérieur* — d'être brutale, de ne pas avoir d'âme. À son âge, au milieu de deux générations, il se sentait hors du coup. Il eut conscience que Mme Vesey n'allait peut-être pas lui pardonner de l'avoir quittée pour un monde en guerre.

Mme Vesey souffla la flamme bleue sous la théière, et laissa retomber le couvercle en argent dans un cliquetis. Alors elle eut ce qui était tout à fait l'un de ces sourires — en même temps c'était le sourire de l'amie de la mère de Henry. Ronald Cuffe ôta le pétale des sandwichs et le roula entre ses doigts, attendant qu'elle se mette à parler.

— Il fait froid *à l'intérieur*, dit Mme Vesey. Maria, mets une autre bûche sur le feu. Ria, vous dites des choses si fâcheuses. Il faut se rappeler que Henry a eu un choc… Henry, si nous parlions de quelque chose qui soit plus agréable. Alors, vous travaillez dans un bureau, depuis la guerre ?

— Dans un ministère — dans un bureau, oui.

— C'est très pénible ?… Maria, tu ferais la même chose si tu allais en Angleterre : travailler dans un bureau. Ce n'est pas comme une histoire de guerre, tu sais.

Maria dit :

— Ce n'est pas encore dans l'histoire.

Elle se pourlécha les lèvres en quête de ce qui restait du goût du chocolat, puis écarta légèrement sa chaise de la table. Elle jeta furtivement un regard à sa montre-bracelet. Henry se demanda quelle importance l'heure pouvait avoir.

Il sut quelle était l'importance de l'heure quand, sur le chemin le long de l'avenue en allant vers le bus, il trouva Maria entre deux marronniers. Elle s'approcha de biais vers lui et posa sa main sur la saignée de son coude. Le jus du pistil d'un rose fané venant des fleurs au-dessus de leurs têtes s'était perdu dans ses cheveux.

— Vous avez encore dix minutes devant vous, dit-elle. Ils vous ont expédié dix minutes en avance. Ils craignent de voir quelqu'un rater le bus et faire demi-tour ; alors tout serait à recommencer. Comme ils répètent tout le temps la même chose, je me dis que cela ne serait pas si pénible pour ma tante.

— Ne parlez pas de cette façon ; elle manque de charité, je ne l'aime pas, dit Henry, raidissant son coude pris dans l'étreinte de Maria.

— Très bien, alors, allons jusqu'au portail, et puis revenons. J'entendrai votre bus arriver. C'est vrai ce qu'ils ont dit — j'ai l'intention de m'en aller. Il va leur falloir inventer quelque chose une fois sans moi.

— Maria, je ne puis avoir de l'estime pour vous. Tout ce que vous dites est destructeur et horrible.

— Destructeur ?... Je pensais que cela ne vous dérangeait pas.

— Je tiens encore au passé.

— Alors vous êtes vraiment faible, dit Maria. Pendant le thé je vous admirais. Le passé — des choses faites à la suite l'une de l'autre avec plus de mal qu'elles n'en valent la peine ?... Cependant, on n'a pas le temps de parler de ça. Écoutez, Henry : il me faut votre adresse. Je suppose que vous *avez* à présent une adresse ?

Elle l'arrêta, juste à l'intérieur du portail blanc taché de vert : alors il souffla du pistil de son carnet, griffonna sur la page et la déchira pour elle.

— Merci, dit Maria, je pourrais frapper à votre porte — si j'avais besoin d'argent, ou d'autre chose. Mais il y aura beaucoup à faire. Je sais conduire.

Henry dit :

— Je veux que vous compreniez que je ne serai en rien complice de ceci *en aucune manière*.

Elle haussa les épaules et dit :

— Vous voulez qu'*eux* le comprennent ? et elle jeta un regard derrière elle dans la direction de la maison.

Et alors, sur tout son être, le charme suspendu de l'après-midi opéra. Il se révolta contre ce retour aux zones de la mort, et peut-être ne reverrait-il jamais tout cela une nouvelle fois.

Les lilas en grappes cruciformes, dans toutes leurs gammes de pourpre, et la montagne décolorée derrière le visage de Mme Vesey le suppliaient. Le moment qu'il avait redouté, le désir qui revient, le submergea dans cette avenue en forme de tonnelle, avec les moteurs sifflant le long de la route dehors et Maria qui restait debout le fixant de ses yeux. Il avait adoré le stoïcisme du groupe qu'il avait quitté, avec leurs petites peurs et leurs grands doutes — la grâce de la chose accomplie une fois après l'autre. Il se dit qu'heureusement restait le courage à l'état pur, sinon nous ne serions que des brutes.

— Qu'est-ce qui ne va pas ? dit Maria.

Henry ne répondit pas. Ils revinrent sur leurs pas et firent des allers et retours à l'intérieur des barrières. Les ombres jouaient sur sa robe et sur ses cheveux : prenant conscience du désenchantement de son regard sur elle, elle demanda de nouveau d'un air inquiet :

— Qu'est-ce qui ne va pas ?

— Vous savez, dit-il, quand vous quitterez cet endroit, personne ne se souciera plus que vous êtes Maria. Vous ne serez plus Maria, en fait. Ces regards, ces choses qu'ils vous disent — font de vous une petite bécasse. Vous êtes vous seulement à l'intérieur de leur enchantement. Vous pouvez penser qu'agir est préférable — mais qui vous aimera quand vous ne ferez qu'agir ? Vous aurez un numéro d'identité, mais pas d'identité. Votre existence tout entière s'est passée dans la contradiction. Peut-être se peut-il que vous pensiez que vous souhaitez un destin banal — mais il n'y pas de destin banal. Et l'extraordinaire dans le destin de chacun d'entre nous n'est seulement pressenti que par votre tante. Je reconnais que sa vision de la vie me dépasse — voilà pourquoi j'ai été si crispé et si susceptible aujourd'hui. Mais où serons-nous quand personne n'a de vision de la vie ?

— Vous n'attendez pas que je vous comprenne, n'est-ce pas ?

— Même le fait que vous êtes une sauvage, que vous êtes même pleine de dédain, oui, même c'est d'eux que vous l'avez eu… Est-ce mon bus ?

— De l'autre côté de la rivière. Il lui faut encore traverser le pont… Henry — dit-elle, lui offrant son visage.

Il l'effleura de baisers distraits et froids.

— Au revoir, dit-il, Miranda.

— … Maria.

— Miranda. *Vous* ne serez plus la même. Peut-être est-ce aussi bien.

— Je vous verrai ?

— Vous sonnerez à ma porte à Londres — avec votre nouveau petit numéro sur la chaînette de votre poignet.

— Le problème avec vous, c'est ce que vous êtes à moitié vieux.

Maria courut à travers les barrières pour faire signe au bus, et Henry grimpa à l'intérieur et fut rapidement emporté.

Extrait de *The Collected Stories of Elisabeth Bowen.*

SEAN O'FAOLAIN

Vivant impie et à moitié mourant

Jacky Cardew fait partie de ces célibataires piliers de club tellement bien mis, conservés, pommadés, soignés, bichonnés qu'ils n'ont pas d'âge − le genre d'élément fixe de qui les copains peuvent dire une fois devenu tout décati après plus de trois quarts de siècle : « Eh bien, eh bien ! Est-ce que ce pauvre Jacky Cardew n'est pas parti *très* vite dans ses derniers jours ? »

Pendant plus de trente ans il avait vécu dans des hôtels meublés ; l'hiver dernier il dit à ses amis : « Ces foutus hôtels borgnes ne sont ni des meublés ni des hôtels, je vais louer un appartement. »

Ce qu'il trouva ressemblait à ce qu'on appelle un flat dans les villes irlandaises − deux pièces (c'est-à-dire une pièce scindée en deux), avec les W.-C. au rez-de-chaussée et la salle de bains au dernier étage ; et dans la salle de bains un chauffe-eau à gaz poisseux et d'aspect peu ragoûtant, comme le Prince Albert aurait pu en dévoiler à l'occasion de l'Exposition de 1851 au Crystal Palace.

Mais Jacky était ravi. Au moins maintenant il avait son chez-soi. Personne n'habitait la maison à part lui et sa propre logeuse : un zingueur occupait le rez-de-chaussée (plutôt bruyant et sentant la soudure), un cabinet d'avocats était au premier étage, la vieille dame vivait sous les toits, au-dessus du logement de Jacky, et il ne la voyait presque jamais sauf pour lui régler son loyer.

À environ deux heures du matin, un jour de sale temps en février, tandis que Jacky et quelques amis étaient en train de s'installer pour la quatrième fois à une dernière partie de solo[1], ils prirent soudain conscience qu'un chien frappait de la queue sur le plancher au-dessus. Puis il n'y eut plus de bruit — pendant un certain temps — si ce n'était le claquement des cartes, la pluie crachant sur la fenêtre et les brèves exclamations des joueurs. Et puis de nouveau ils entendirent le battement...

— Faudrait voir à faire gaffe, les gars, dit un joueur abattant une carte, nous empêchons la vieille dame du dessus de dormir.

Ils continuèrent à jouer avec application. De nouveau ils entendirent le battement, cette fois insistant et fort. Jacky jeta un regard circulaire en direction des sourcils relevés, puis à sa montre-poignet, au feu en train de mourir, aux gouttes d'eau brillant sur la vitre, à la lumière de la lampe à arc sur la place en bas, et quitta la pièce avec ce genre de froncement de sourcils qu'il aurait pu avoir pour un subordonné à la banque qui n'aurait pas montré une onctuosité suffisante. Grattant des allumettes il grimpa l'escalier. Les têtes de clous brillaient. L'entendant buter et pousser un juron, elle prononça à voix forte son nom, et il se dirigea vers elle, se baissant sous les grandes poutres du grenier, écartant du coude la lessive humide qu'elle y avait pendue à sécher, éprouvant l'humidité glaciale à quelques centimètres de sa tête. Il trouva la pièce, un grenier nu. Il fut désorienté par son aspect misérable, froid et confiné, la lucarne en pente sur laquelle glissaient des vaguelettes de pluie avec les lumières de la ville.

1. L'un de ces nombreux jeux de cartes où l'on n'a pas de partenaires (*N. D. T.*).

À la lueur de l'allumette il vit ses yeux pâles le fixant avec effroi de son oreiller ; il vit ses joues creuses, les poils blancs sur son menton, ses deux nattes nouées avec des morceaux de laine rouge. L'allumette lui brûla les doigts. Dans l'obscurité il l'entendit soupirer :

— Monsieur Cardew, je meurs.

Il fut si terrifié qu'aussitôt il gratta une deuxième allumette. Il fut même encore plus terrifié par ce qu'elle lui répondit après qu'il lui eut demandé si elle voulait qu'il fasse venir quelqu'un de ses amis :

— Que Dieu nous préserve, dit-elle en haletant. Amis, vous dites ? Je n'ai pas un ami pour me mouiller les lèvres. Aucun. Au monde.

Il dévala l'escalier. Un des ses amis était médecin ; celui-ci monta et l'examina, la calma, redescendit, dit qu'il n'y avait pas grand-chose qui clochait, si ce n'est qu'elle était très âgée, et que peut-être elle souffrait d'un peu d'indigestion ; il recommanda deux aspirines et une bouillotte bien chaude sur l'estomac. Ils la laissèrent tranquille le reste de la nuit puis rentrèrent chez eux, tête baissée sous la pluie, chacun adressant aux autres une parole de réconfort.

Jacky revint à sa chambre en désordre et s'assit près de la cheminée éteinte. Il entendit s'égrener chaque quart d'heure à l'hôtel de ville, parfois d'une façon distincte et claire, parfois faible et triste, selon l'humeur du vent d'hiver. Tout à coup il se souvint que sa propre mère s'en était allée une nuit comme celle-ci. Il se demanda qui s'occuperait de la vieille femme si elle mourait, et pour la première fois il prêta attention aux photos de famille suspendues aux murs autour, la plupart de jeunes hommes et de jeunes femmes portant dans leurs bras des bébés au regard vide et à la bouche ouverte. Il y avait un agrandissement sombre, de grand format, montrant un homme portant une moustache grise et à tête chauve. Il rappelait à Jacky le vieux

Cassidy, son dernier directeur, qui maintenant dînait régulièrement chaque mardi de chaque semaine avec un autre banquier
à la retraite, et qui s'appelait Enright. Tout en tisonnant les
cendres froides, Jacky se dit que probablement Cassidy n'avait
pas d'autre ami sur terre, et, que, bon Dieu, de toute manière,
une fois la cinquantaine atteinte est-ce qu'on ne dévale pas au
galop la foutue ligne droite ?

À trois heures et demie il monta pour lui jeter de nouveau
un coup d'oeil. Elle dormait, respirant lourdement. Il voulut
prendre son pouls mais il était incapable de se rappeler quelle
était la pulsation normale et trouva celui de la vieille aussi lent
qu'un corbillard. Il revint à sa chambre glaciale. La pluie
continuait à cracher. La place dehors luisait. Il ressentit une
douleur sourde à l'aine et se demanda, est-ce que cela pourrait
être l'appendicite ? Il se dit qu'il aurait dû faire venir le prêtre
à son chevet, et il tenta de se rappeler combien d'années avaient
passé depuis qu'il était allé à confesse. À quatre heures et demie
il alla jeter un autre coup d'œil chez elle, la trouva respirant
paisiblement et décida qu'elle allait bien. En remontant le
pantalon de son pyjama il jeta un regard sombre à son estomac.

Il fut réveillé à l'heure habituelle par la vieille femme elle-
même, lui apportant comme à l'ordinaire sa tasse de thé brûlant
et son toast beurré. Elle avait un missel sous le bras et s'était
apprêtée pour sortir.

— Grands dieux, s'étrangla-t-il, je pensais que vous étiez…

Son grand corps maigre se balançait comme un roseau dans
des éclats de rire :

— Monsieur Cardew, vous savez bien qu'on ne peut pas
détruire la mauvaise herbe. Mon petit siège chauffé au purgatoire
n'est pas encore prêt pour moi. Ah ! je savais qu'il me faudrait
payer tout ce bacon et tout ce chou que j'ai mangé hier !

Un mouvement inélégant de son estomac remontant vers sa
gorge lui fit vivement déposer le toast beurré.

— Je me suis sentie ballonnée par ça toute la journée.

Jacky s'habilla, poussant des jurons. En sortant il décida d'avoir une sérieuse conversation avec la femme. Elle était de retour de la chapelle et était assise dans sa cuisine en train d'engloutir bruyamment un grand bol de soupe.

— Écoutez, madame Canty, dit-il sévèrement, c'est vrai ce que vous dites que vous n'avez pas d'amis ?

— J'ai plein d'amis, monsieur Cardew, dit-elle souriant béatement. Les meilleurs amis qu'aucune femme ait jamais pu avoir.

Elle posa ses mains osseuses sur une pile de missels ; il devait y en avoir à peu près une douzaine, formant un tas d'un pied, tous recouverts d'une toile noire luisante..

— Est-ce que je n'ai pas les âmes qui souffrent au purgatoire ? J'ai saint Antoine.

Le regard de la vieille femme entraîna le sien vers une grande statue brun crème sur le dressoir.

— Et est-ce que je n'ai pas le Sacré-Cœur ?

Il examina la statue rouge et or au-dessus de l'évier avec les rameaux de buis flétris des dernières Pâques en forme de croix devant elle :

— Regardez cette petite Fleur qui me sourit. Et que dites-vous de saint Joseph et de sainte Monique ?

La tête de Jacky ne cessait de tourner telle une girouette.

— Et est-ce que je ne reviens pas tout juste de prier la Sainte Croix ? Amis, monsieur Cardew ?

Elle lui sourit avec pitié. Il s'éloigna à grandes enjambées pour s'empêcher de dire : « Alors pourquoi diable ne pas les avoir appelés cette nuit au lieu de tous ces battements pour me faire monter chez vous ? »

Au lieu de cela il prit sa revanche à la banque avec sa secrétaire :

— De la superstition pure et simple, c'est tout ce qu'on peut dire. Des dévotions interminables pendant la journée et des

plaintes incessantes la nuit. Le miserere irlandais habituel. Tout
ça basé sur la crainte des feux de l'enfer et de la damnation.
De quoi rendre n'importe qui athée !

La fille lui répondit vertement ; ils en virent presque à se
disputer ; elle lui dit qu'il devrait avoir honte de lui-même ; elle
lui dit même que son « jour viendrait » ; elle le rendit presque fou
en affirmant qu'elle « allait prier pour lui ». Au déjeuner il fut mêlé
à une violente discussion qui portait sur la religion, au cours de
laquelle il ne cessa d'utiliser l'expression « *Des peu éclairés !* » « *Des
peu éclairés !* ». Il ressassa tout ça cette soirée-là au club, mais il
lui fallait être prudent là-bas car la plupart des membres étaient
des chevaliers de l'ordre de Christophe Colomb et les affaires
sont les affaires. Il avait opté pour une approche médiane :

— Vous comprenez, j'ai une estime considérable pour ce que
j'appelle la *vraie* religion. Et, voyez-vous, je ne suis pas un saint.
Je suis sincère là-dessus. Quoique je suppose que je ne suis
pas pire que la moyenne, et peut-être en fait un peu mieux. Et
je peux dire ceci sur ce sujet, que la religion est une grande
consolation pour la vieillesse. Mais si la religion ne s'accompagne
pas du *caractère* — le caractère d'abord et par-dessus tout — alors
elle s'écroule en formalisme et superstition !

Ils dirent tous qu'on pouvait être d'accord avec cela. Il
surveillait ses cartes avec satisfaction :

— Je pense que c'est à toi de jouer, Maguire.

Il se retrouvait en train de regagner sa maison avec Maguire :
une douce nuit après toute la pluie, et une touche délicate de
printemps dans l'air.

— Il ne nous est pas possible de savoir où nous en sommes,
dit Maguire, jusqu'à ce Pâques arrive.

Et il eut un petit rire mal assuré.

— Où est la plaisanterie ?

— Parbleu, je me disais là-bas ce soir alors que tu discutais
de religion que… bon Dieu, tu sais, ça fait un an que je ne suis

pas allé à confesse. Avec Pâques qui arrive bientôt je me dis qu'il me faudra à nouveau curer les casseroles laissées de côté. Obligation de Pâques, tu comprends. Où est-ce que tu vas ? Moi je remonte à Rathfarnham à la congrégation des Jésuites. Des hommes du monde. Ils n'ont pas leur pareil.

— C'est là où je vais d'habitude aussi, mentit Jacky. On peut parler à ces gens.

Et il commença à se demander si oui ou non il ferait le déplacement cette année.

Le jeudi de la semaine sainte, juste après minuit, Jacky et les gars étaient au beau milieu d'une partie de cartes Napoléon quand un faible battement parvint à travers le plafond.

— On ne s'affole pas cette fois, grogna-t-il. Chat échaudé craint l'eau froide. Encore un de ses effets théâtraux.

Ils rassemblèrent leur cartes et commencèrent à jouer. Dominant le bruit sec des cartes le battement une fois encore se fit entendre, cette fois avec moins d'intensité.

— Celle-là, alors ! dit Jacky. À toi de jouer, Jim. Celle-là… Bon Dieu, tu n'as pas autre chose que l'as ? Celle-là est l'exemple typique de l'Irlandaise archidévote de nos jours. Derrière toute cette piété, croyez-moi… Qui a dit que je n'ai pas joué la couleur ? De quoi parlez-vous, est-ce que je n'ai pas mis le sept sur le deux de Redmond ? Derrière toute cette soit-disant piété il n'y a rien d'autre qu'une peur d'enfant dans le noir.

Maguire rit à ces paroles :

— Allons Jacky, ça sert à rien de déblatérer contre la religion. L'empreinte de l'Église est sur toi. Comme sur nous tous. Elle est sur toi depuis que tu es né, et tôt ou tard ils t'auront, et autant céder et en finir. Souviens-toi ce que je dis, le jour viendra où tu auras des images pieuses sur tous les murs de ta foutue chambre ! L'empreinte est sur toi ! L'empreinte est sur toi !

Jacky s'emporta. Voilà un type qui ne se confessait même pas une fois l'an et qui tenait des propos tout comme s'il était un de ces fichus saints.

— Cesse de me faire des signes de la main, je te prie. Et, après tout, en dépit de tout ce que tu peux raconter, quand est-ce que tu t'es confessé pour la dernière fois, je voudrais bien le savoir ?

Maguire rit, content de lui-même :

— Cela ne me dérange pas le moins du monde de te le dire. J'y suis allé il y a trois jours. Un fameux vieux prêtre.

Il fit claquer ses doigts et promena son regard sur le groupe autour de lui.

— Il m'a donné sa bénédiction comme ça ! Je pense que si je lui avais dit que j'avais commis un meurtre tout ce qu'il aurait trouvé à dire ç'aurait été : « Pas d'autre petite chose qui te turlupine, mon enfant ? »

Ils rirent en approuvant.

— Ah ! Il n'y a rien de tel que la congrégation des Jésuites, poursuivit Maguire. Écoutez, est-ce qu'on vous a déjà raconté l'histoire du type qui va à confesse au moment des Événements ici et qui dit : « Mon père j'ai tiré sur un Noir et Brun[2]. Vous savez ce que le prêtre a répondu ? » « Mon enfant », qu'il a dit, « tes péchés véniels, tu peux les omettre. » Je jure que c'est vrai.

Tous se mirent à rire de nouveau, même s'ils avaient déjà entendu cette histoire plus de cent fois : c'est la sorte d'histoire que tout pécheur impénitent aime bien entendre. Au milieu de leurs rires le battement se fit entendre une fois de plus.

2. Noir et Brun (*Black and Tan*) était le nom donné par les Irlandais à une partie des forces de l'ordre britanniques pendant la guerre civile qui suivit la Première Guerre mondiale. Les membres de ces forces portaient comme uniforme pour moitié leurs propres uniformes noirs de police et pour l'autre les uniformes bruns de l'armée, dont les deux couleurs contrastées rappelaient les chiens terriers qu'on appelait communément des « Black and Tan ». Les forces de l'ordre agissaient de façon sévère et étaient haïes, d'où la plaisanterie sur la licence supposée de leur tirer dessus (*N. D. T.*).

– Je crois bien, Jacky, dit un autre joueur, un commercial nommé Sullivan, que tu dois aller voir cette vieille.

Poussant un juron Jacky posa ses cartes sur la table. Il grimpa jusqu'au grenier. Il gratta une allumette, lui jeta un regard et se persuada aussitôt qu'elle allait mal. Son front ruisselait de gouttes de sueur. Sa poitrine se soulevait et retombait par saccades.

– Monsieur Cardew, je suis finie. Faites venir le prêtre. Pour l'amour de Dieu.

– Certainement, certainement. Tout de suite. Et je fais venir le docteur.

Il dévala l'escalier et se précipita dans la pièce.

– Par Dieu, mes amis, cette fois ce n'est pas une blague. Ça y est. J'en suis sûr. Je peux m'en rendre compte. Sois bon garçon, Maguire, va chercher le prêtre. Sullivan, il y a un téléphone près du kiosque en bas ; appelle le médecin, fais venir Cantillon, Hanley, Casey, n'importe qui. Vite, vite !

Il lui monta un whisky bien tassé mais elle était trop faible pour en avaler une goutte. Quand le prêtre arriva – un jeune homme aux yeux tristes et une tête baissée d'un saint François – les joueurs s'entassèrent à l'écart sous les poutres, regardant à travers la lucarne la large lune de Pâques. Tous étaient entre deux âges, plus jeunes que Jacky, mais, à part ça, des répliques.

– Oh, soupira Maguire, c'est bien vrai. Tout comme le vieux prêtre m'a dit. Comme un voleur dans la nuit. On ne sait jamais ni le jour ni l'heure.

– On a eu un hiver épouvantable, souffla Sullivan. Je n'ai jamais vu tant de monde disparaître. J'ai vu que le vieux Sir John Philpott s'en est allé hier.

– Ah, Dieu, non ? protesta Jacky, choqué par cette nouvelle. Tu ne veux pas dire Philpott de la maison *Potter and Philpott's* ? Je causais avec lui au club il n'y a pas trois jours (il avait dit cela comme si c'eût été un affront que Sir John ne lui eût pas donné un préavis de l'événement). Mais il était relativement jeune. Avait-il même atteint les soixante-deux ans ?

— Le cœur, soupira Wilson. Il s'en est allé très vite à la fin.

— Bien vivant aujourd'hui, parti demain, soupira Maguire.

— La meilleure façon de partir, murmura Sullivan. On ne gêne personne.

— C'est-à-dire, souffla Maguire, pourvu que notre ticket ait été poinçonné pour… et il eut un geste respectueux en haut. J'ai eu l'occasion d'entendre un prêcheur raconter qu'il connaissait un homme qui était venu se confesser après vingt ans d'absence. Le prêtre a raconté qu'il venait juste de lever son doigt et de prononcer l'*Absolvo te* — à ce moment Maguire leva les deux premiers doigts — quand l'homme est tombé raide mort à ses pieds dans le confessionnal ! Il n'y a pas mieux pour s'en tirer !

Jacky bougea, gêné ; il savait que l'histoire n'était qu'une invention de prêcheur, mais il n'avait pas le cœur à le dire.

— La plus belle de toutes les morts, murmura Sullivan, c'est celle du soldat. Je trouve normal qu'avant une bataille un prêtre ait la possibilité de donner l'absolution générale à un régiment entier, et si un homme est tué il monte droit aux cieux. C'est cela qui fait des Irlandais de si bons soldats. Droit aux cieux !

— Superbes dans l'attaque, dit judicieusement Jacky, mais pas si bons que ça dans la défense.

— Et c'est bien pourquoi ! dit Sullivan. Et encore, je ne serais pas étonné que c'est ce qui explique que les Anglais soient bien meilleurs dans la défensive que dans l'attaque. Sûrement chacun d'entre nous aimerait se battre comme un beau diable s'il savait ce qui vient après. La mort n'effraie pas un homme dans une situation comme celle-là.

Ils se turent. Un petit nuage obscurcit la lune. Puis tous les visages furent illuminés de nouveau. Les toits de la ville brillaient. La voix du prêtre murmurait doucement.

— Il lui faut un sacré bout de temps, dit Jacky. Qu'est-ce que ce serait, souffla-t-il, tâchant de faire une petite plaisanterie, si elle avait beaucoup de choses à raconter. Quoi qu'il en soit *elle* est en bonne position.

— Et, dit Maguire pieusement, un Vendredi saint. Quelle belle mort !

— C'est vrai, dit Wilson. Un Vendredi saint !

Ils soupirèrent tous profondément. Le prêtre sortit, penchant sa tête sous les poutres, enlevant son étole et la baisant. Maguire lui demanda :

— Elle va durer, père ?

Le prêtre soupira « Une sainte, une sainte », comme s'il était en train de soupirer pour tous les pécheurs du monde.

Jacky le raccompagna jusqu'à la porte d'entrée, et alors qu'il s'éloignait, le médecin redescendit. Jacky referma la portière de sa voiture et avec anxiété glissa sa tête à l'intérieur.

— Elle va mal, docteur ?

— *Anno Domini*. Nous ne pouvons pas vivre éternellement. La machine s'épuise — tout comme une vieille voiture. Tout ce que nous pouvons faire à cet âge, c'est d'attendre l'appel, et recroquevillant un doigt il fit le signe d'appeler. Jacky retira sa tête à la hâte. Les phares tournoyèrent et la voiture ronronna à travers la place déserte comme si ses feux arrière rouges étaient en train de s'enfuir avec quelqu'un.

Jacky se retrouva seul dans sa chambre. Il se laissa tomber dans un fauteuil près de la fenêtre ouverte. La nuit de printemps était douce. Le sang de la vie battait en toute chose. Même les trois vieux platanes londoniens au milieu de la place avaient leur petite pulsation, et dans le ciel la haute lune de Pâques était délicatement transparente comme de jeunesse. Il se leva avec brusquerie et se mit à faire les cent pas dans la pièce. Il n'avait jamais rien vu de si beau, se disait-il, que ces petits bébés qui le regardaient de leurs grands yeux, avec leurs petites et douces lèvres entrouvertes. Il regarda de nouveau par-dessus les toits luisants et les pots de cheminée blanchâtres, et comme si un obturateur se déclenchait il put pendant quelques secondes prendre conscience du vide et de la solitude intenses de sa vie et la voyait, les années s'écoulant, devenant plus solitaire et plus vide. Et quand il ne serait plus, cette lune là-bas, les vieux arbres en bas, seraient toujours là, encore palpitants. Un petit vent se hâtait furtivement dans la poussière de la place. Il regarda la carafe. Marée basse. Comme sa propre vie. Au moins demain il pourrait se reposer. Il s'arrêta devant l'agrandissement sombre. Le matin de Vendredi saint. Encore un jour jusqu'à Pâques. Un visage veiné et rouge avec un nez bleu, des cheveux épars en bataille, des poches sous les yeux le regardaient dans le miroir. Il passa sa langue sur ses lèvres, eut un goût horrible dans la bouche et sentit un battement irrégulier dans son coeur.

Il s'assit pesamment près de la fenêtre ouverte, devant la beauté indifférente de la lune, et se mit à se remémorer les années passées. Il y avait deux ou trois choses qu'il ne serait pas très facile de…

« Pas question, tu comprends, dit-il bravement à la place déserte, que je me mette entre les pattes de quelque bouseux irlandais du comté de Meath. Bien choisir l'homme approprié et… Eh bien, mon Père », fit-il s'appliquant comme en train de répéter, chassant d'une chiquenaude une particule de cendre de son pantalon et tirant sur son oreille, « Je crains, heu… j'ai bien plus que quelques petites peccadilles à vous raconter. Nous sommes seulement humains, mon Père. Les enfants d'Adam, et tout le tintouin, etc. Voilà le ticket. Franc et sincère. Deux hommes de ce monde. Bien sûr, on a eu un peu d'alcool, mon Père, et, heu… Eh bien, heu… je veux dire, heu… » Jacky toussa et passa un doigt autour de l'intérieur de son col. Cette affaire allait exiger de lui un peu de doigté. Il ferma ses yeux et se mit à penser à toutes ces nuits qui avaient paru si belles − sur le moment.

Quand il rouvrit à nouveau les yeux le soleil chauffait son visage, la place était gaie sous la lumière du soleil, quelqu'un était en train de lui secouer l'épaule. C'était sa logeuse qui toute souriante lui tendait son thé et son toast beurré.

— Eh bien, monsieur Cardew, caqueta-t-elle, puisque je ne suis pas partie cette nuit je vivrai jusqu'à cent ans !

Quand Jacky avait regardé de ses yeux chassieux les trois platanes, le souvenir de la nuit épouvantable l'avait submergé. Il lui jeta un regard exaspéré, posa bruyamment la tasse, et se prépara à lui dire exactement ce qu'il pensait d'elle. Une sale griffe s'enfonça comme une aiguille chauffée au rouge dans le bas de son dos.

— Oh, monsieur Cardew, diable qu'est-ce qui a bien pu vous pousser à vous asseoir près de la fenêtre ouverte !

Mais maintenant la douleur traversait l'arrière de son cou, et une main à son dos et l'autre à son cou, tout ce qu'il put faire ce fut de ramper sur le plancher vers le lit en gémissant et en poussant des jurons.

Alors qu'il restait couché là pendant le congé de Pâques, il se vit choyé et gâté comme il ne l'avait jamais été auparavant. Elle frottait son dos et elle frottait sa poitrine, elle lui apportait son punch chaud, et le gavait de friandises de Pâques, ce qui le conduisit peu à peu, bien qu'en grinçant des dents, à se dire qu'il serait vraiment bête de changer de logeuse. En même temps, et plus particulièrement en ce dimanche de Pâques, alors qu'il restait allongé le soleil oblique et chaud sur sa poitrine, les mains derrière sa tête, fumant sa cigarette d'après le petit déjeuner, le journal du dimanche sur ses genoux, écoutant les cloches au son argentin de toutes les églises de la ville, il était conscient d'un certain sentiment léger de mal-être — pas grand-chose, juste une ombre lovée à l'arrière de son cerveau, un petit soupçon d'inquiétude. Avec précaution il tourna ses épaules engourdies pour regarder le manteau de la cheminée où elle avait disposé un mince éventail de rameaux de buis dans un vase en verre, et à côté un petit bol en verre d'eau bénite. Il grogna tout en les regardant. Bien sûr il se débarrasserait de ces choses une fois remis sur pied. À ce moment il se souvint de Maguire et de ce qu'il avait dit de l'empreinte sur vous. Il sourit avec gêne. Eh bien ! Il fit tomber la cendre de sa cigarette sur le tapis. Un jour sans doute. Un jour.

Oh, que le soleil était amical ! C'était bon d'entendre tous les pas de l'autre côté de la place en bas, sur le chemin de la messe. Leurs reflets sombres passaient doucement sur le plafond, et les cloches au son argentin continuaient à appeler chacun à être heureux parce que le Christ était ressuscité.

Il prit le journal et se mit à étudier les courses.

Extrait de *Teresa and Other Stories*.

FRANK O'CONNOR

Le bonimenteur

1

Tout le monde était désolé pour Sam Higgins, le directeur
d'école. Sam était vraiment un brave type, le plus convenable
des hommes qui soit, mais trop sincère.

C'était un petit homme gras au visage rond, rosé et affable,
au front haut et chauve, et avec des lunettes. Il portait un chapeau
melon et un col de Celluloïd même par la journée la plus chaude
de l'année que Dieu pouvait envoyer, parce que quel que fût
son degré de sociabilité, il n'oubliait jamais tout à fait sa dignité.
Il vivait avec sa sœur, Delia, dans une maison près de la gare
et souffrait pas mal des nerfs et de dyspepsie. Les médecins
entendaient prétendre que les deux étaient une seule et même
chose ; mais ce n'était pas le cas. Tous deux fonctionnaient sur
deux circuits absolument différents. Quand c'étaient les nerfs
qui n'allaient pas Sam se gavait. C'était, bien sûr, bon pour les
nerfs mais mauvais pour la dyspepsie, et ensuite de longs mois
il suivait un régime et faisait des promenades dans la campagne.
Les promenades, d'une autre façon, étaient bonnes pour la
dyspepsie mais catastrophiques pour les nerfs, si bien que Sam
se sentait obligé de chasser le mal en s'arrêtant sur sa route à

la maison de Johnny Desmond pour une pinte. Johnny le respectait quelque peu parce qu'il était instruit, ce que lui-même n'était pas, et le méprisait un peu d'être un homme qui, en dépit de toute son instruction, ne parvenait pas à garder ses pensées pour lui – un art dans lequel Johnny était passé maître.

Un jour par hasard il se trouva qu'ils parlaient de l'affaire Delea, que Johnny, homme prudent et religieux, disait trouver bizarre. Il n'y avait rien de bizarre dans ça. Père Ring avait encore attrapé un gros poisson ; c'était tout. Le vieux Jeremiah Delea était mort et avait tout laissé à l'église, rien à sa femme ni à sa famille. On allait faire une loi à ce sujet, d'après ce que Johnny avait entendu – ah, une triste affaire, une affaire bizarre ! Mais Sam, qui haïssait Père Ring d'une haine qu'on pourrait qualifier de véritablement religieuse, se réjouit.

– Quinze mille, à ce qu'on dit, dit-il avec un sourire ingénu.

– C'est ce qu'il me semble, répondit Johnny avec un regard renfrogné. Un homme pas même capable de t'épeler son propre nom ! Alors que penses-tu de l'instruction ?

– Oh, ce que j'ai toujours dit, répliqua Sam avec sa franchise coutumière. C'est pas plus qu'un empêchement.

– Ah, je n'irai pas aussi loin que ça, dit Johnny, qui, bien qu'il fût enclin à partager ce point de vue, était trop poli pour critiquer le travail de n'importe quelle personne qui se trouvait devant lui, et de toute façon nourrissait une admiration secrète pour le vernis qu'une bonne instruction pouvait donner. S'il avait pu conserver les actions dans la TSF il aurait valu cinq mille de plus. Je suppose que c'est là où l'instruction intervient.

Ayant prononcé un mot favorable sur le sujet de la culture, Johnny sentait maintenant qu'il lui fallait dire quelque chose en faveur de la religion. Des rumeurs couraient au sujet de Père Ring et Johnny n'aimait pas ça. Il inclinait à penser que ça ne portait pas chance. Des années d'observation des anticléricaux dans son établissement avaient convaincu Johnny qu'aucun d'entre eux n'avait fait de progrès dans la vie.

— Bien sûr, le vieux Jerry était un homme qui suivait toujours le droit chemin, ajouta-t-il dubitativement.

— En effet, dit Sam d'un ton sec. Qui aimait beaucoup les Enfants de Marie.

— C'est vrai ? dit Johnny, comme s'il ne savait pas ce que pouvait être une Enfant de Marie.

— Jeunes et vieilles, dit Sam avec enthousiasme. C'étaient les marottes du pauvre homme.

Ça c'était Sam tout craché ; trop de franc-parler, trop indépendant ! Une personne comme lui n'a jamais avancé dans la vie. Johnny alla à la porte du débit et le regarda qui s'éloignait le long de Main Street de sa démarche chaloupée et avec son chapeau melon et s'étonnait qu'un homme si instruit n'avait pas plus de bon sens.

2

Delia et Mme MacCann, la nouvelle institutrice de l'école des filles, étaient assises dans des chaises longues du jardin quand Sam revint. Cela contribua plus que la pinte à remonter son moral après cette solitaire promenade campagnarde. Mme MacCann était petite, gaie, pas le moins du monde conventionnelle. Sam la tenait pour la femme la plus agréable qu'il eût jamais rencontrée et le lui aurait dit sauf qu'elle sortait juste du deuil de son premier mari. Il se disait que ce n'était pas le moment d'aborder avec une proposition de mariage une femme quelle qu'elle soit, ce qui montrait combien Sam connaissait peu les femmes.

— Ça va, Nancy ? lança-t-il chaleureusement, tendant sa patte grasse.

— Formidable, Sam, répondit-elle, scintillante de plaisir. Comment est le corps ?

— Comme ci, comme ça, dit Sam.

Il ôta sa veste et s'accroupit pour donner une goutte d'huile à la tondeuse.

— Des nouvelles aussi plaisantes que celles que j'ai entendues aujourd'hui ça fait longtemps que je n'avais pas eu l'occasion d'en entendre de semblables.

— À quoi est-ce que tu fais allusion ? demanda Delia de sa voix haut perchée et fluette.

— Chrissie Delea va devant les tribunaux avec Ring au sujet de l'héritage.

— Ah ! ce n'est pas vrai, Sam ? cria Nancy.

— Ah, par Dieu, c'est vrai, grogna Sam. Elle a mis l'avoué Canty d'Asragh sur l'affaire. Maintenant Ring va demander à sœur Mary la laitière et aux autres sœurs de dire des neuvaines pour adoucir le cœur de pierre de Chrissie. Par Dieu, je vous jure qu'il faudra plus que des neuvaines pour qu'il y parvienne.

— Mais est-ce qu'elle l'obtiendra, Sam ? demanda Nancy.

— Pourquoi est-ce qu'elle ne l'obtiendrait pas ?

— Toute personne à qui un prêtre donne de l'argent mériterait de voir sa statue érigée.

— Elle finira par l'obtenir, dit Sam avec confiance. Après tous les autres scandales l'évêque ne laissera jamais cette affaire aller devant le tribunal. Bien sûr, depuis longtemps le vieux Jerry n'avait plus sa tête quand il a fait ce testament. Je témoignerai moi-même que je l'ai vu arrêtant des petites filles sur le chemin de l'école pour essayer de regarder sous leurs robes.

— Oh, Dieu, Sam, l'absurdité de tout ça ! dit Nancy avec un petit rire. De toute façon, nous allons beaucoup nous amuser avec un procès et un nouvel instituteur.

— Un nouveau quoi ? demanda Sam, s'arrêtant brusquement de tondre.

— Eh bien ? Est-ce qu'Ormond ne t'a pas dit qu'on l'a renvoyé ? demanda-t-elle avec étonnement.

— Non, Nancy, il ne l'a pas fait, dit Sam gravement.

— Mais pour sûr, Ormond ne t'aurait jamais caché une chose pareille ?

— Il ne l'aurait pas fait, dit Sam, et je jurerais qu'il ne sait rien à ce sujet. D'où tiens-tu ça ?

— Jane la planche me l'a dit. (Elle voulait dire mademoiselle Daly, la directrice.)

— Et je présume qu'elle l'a su par Ring, dit Sam absorbé dans ses pensées. Et Ring a été à Dublin pour un jour ou deux. Maintenant nous savons ce qu'il est allé faire là-bas. Tu ne sais rien sur celui qui va remplacer Ormond ?

— Je n'ai pas fait attention, Sam, dit Nancy avec un froncement des sourcils. Mais elle a dit qu'il est de Kerry. Ce n'est pas de là-bas que vient Père Ring ?

— Oh, un cousin de Ring chanceux ! dit Sam tristement, essuyant son front couvert de sueur.

Brusquement il se sentit très déprimé et très fatigué. Même la pensée du procès intenté par Chrissie Delea ne parvenait pas à le réjouir. Il sentait la menace de Ring jeter une ombre sur lui. Un directeur peu agréable, c'était déjà difficile. Un sale évêque avec un espion dans l'école, c'était tout ce qu'il fallait pour anéantir un enseignant.

Il ne se trompait pas en ce qui concernait le lien avec Ring. Le nouvel enseignant arriva dans un coupé en piteux état qu'il semblait plutôt tenir en haute estime. Il s'appelait Carmody. Il était grand et mince avec un front haut et bosselé, des pommettes saillantes, et une peau négligée. Il se tenait raide comme un piquet, et était apparemment fier de sa silhouette. Il portait un costume de ville ajusté et bon marché à rayures, et Sam compta deux stylos et un assemblage de crayons de couleur dans la poche extérieure de sa veste. Il avait un petit carnet rouge qui dépassait de la poche supérieure de son gilet, et quand Sam parlait il prenait des notes — un jeune homme très business.

Puis il plaça le crayon derrière son oreille, mit ses pouces dans les ouvertures de bras de son gilet, et ricana devant Sam. Ricaner était le seul mot dont disposait Sam pour le décrire. Sam trouvait cela presque drôle. Après cinq minutes il était en train de donner des conseils sur la façon dont on enseignait à Kerry. Sam, ses mains dans les poches de son pantalon et montrant son air le plus innocent, le regardait de haut en bas et son ton se fit plus sec.

— Vous semblez entretenir de bons rapports avec vos élèves, dit-il plus tard dans la journée.

— J'y mets un point d'honneur, expliqua Carmody avec emphase.

— Vous les traitez d'homme à homme ? dit Sam l'engageant à continuer.

— Puisque c'est la méthode moderne, cela va de soi, dit Carmody.

— Vraiment ? dit Sam avec une pointe d'ironie, et au même moment il fit une grimace. C'était le premier signe de la dyspepsie.

D'ordinaire lui et Nancy déjeunaient ensemble à l'extérieur assis sur le muret entre les deux écoles. Ils étaient là depuis quelques minutes quand Carmody sortit. Il resta sur les marches et prit le soleil, bombant le torse et inhalant. de grandes goulées de ce qu'un homme de Kerry appellerait ozone.

— Belle figure d'homme, Sam, dit Nancy, interprétant et dégonflant sa pose.

Comme s'il l'avait entendue et l'eût prise au sérieux, Carmody s'approcha d'eux avec un air que probablement il trouvait cocasse.

— Vous jouissez d'une belle vue, dit-il d'un ton enjoué.

— Il ne vous faudra pas longtemps pour en être fatigué, dit Sam froidement.

— Il semble que ce soit un endroit plutôt calme, dit Carmody, ne remarquant pas l'absence d'une quelconque chaleur.

— Ce doit être simplement affreux après Kerry, dit Sam, poussant du coude Nancy. Êtes-vous jamais allée à Kerry, Mme Mac ?

— Jamais M. Higgins, dit Nancy, se prêtant au jeu. Mais je veux croire que c'est merveilleux.

— Merveilleux, approuva Sam lugubrement. On peut se demander d'où les gens tirent leur intelligence jusqu'à ce qu'on voie le paysage.

Carmody, comme il seyait à un homme modeste, ne releva pas le sous-entendu laissant entendre que l'intelligence d'un homme de Kerry dépendait de son environnement plutôt que de son hérédité ; sans doute n'attendait-il pas mieux d'une personne d'un pays comme celui-ci.

— Dites-moi, demanda-t-il avec le plus grand intérêt, que *pouvez*-vous bien faire pour vous occuper ?

L'impudence de cette question dépassait par trop les bornes même pour Sam. Bouche bée il dévisagea Carmody pour voir s'il parlait sérieusement. Puis il montra la ville du doigt :

— Vous voyez le pont ?

— Je le vois.

— Vous voyez la tour de l'abbaye juste à côté ?

— Oui.

— Quand nous en avons assez de la vie nous nous jetons du haut de la tour.

— Je parlais au sérieux, dit Carmody, glacial.

— Oh, par Dieu, moi aussi, dit Sam. Cette tour est assez haute.

— Je crois que vous avez une sorte de club théâtral, poursuivit Carmody, s'adressant à Nancy comme s'il ne voulait pas prendre la peine de poursuivre une conversation du niveau de celle de Sam.

— Nous en avons un, dit Nancy d'une façon tout enjouée. Vous faites du théâtre ?

— Un petit peu, dit Carmody. Bien sûr, à Kerry, notre préférence va au théâtre intellectuel.

— Allons donc ! dit Sam. Ça sera un choc pour le club théâtral.

— Probablement il en a besoin, dit Carmody.

— C'est le cas, dit Sam avec désinvolture, descendant de son muret et regardant Carmody sa lèvre inférieure pendante et la lumière aveuglante du soleil sur ses lunettes. La ville a aussi besoin d'un peu d'attention. Peut-être serez-vous amené à penser qu'elle est en déclin. Alors vous aurez le pays entier à votre disposition pour essayer. Je me suis souvent dit qu'il avait besoin d'une bombe pour être réveillé. Peut-être que c'est vous la bombe.

Il n'était pas habituel que Sam, qui était peu loquace, fasse un discours aussi long que celui-ci. Il aurait dû suffire à faire taire n'importe qui, mais Carmody ne fit que mettre ses pouces dans les ouvertures de son gilet, bomber sa poitrine, et ricaner.

— Mais bien sûr je suis une bombe, dit-il avec un coup d'œil de côté à Nancy.

Il n'était pas si facile que cela de démonter la suffisance de Carmody.

3

Une ou deux semaines plus tard Sam s'arrêta chez Johnnny Desmond pour sa pinte.

— Mme Mac et le nouvel enseignant semblent s'entendre très bien, dit Johnny sans penser à mal.

— Ah bon ! répondit Sam sur le même ton.

— Je viens de les voir partir pour une promenade à deux en voiture, ajouta Johnny.

— Probablement pour la déposer chez elle, dit Sam. Il le fait chaque jour. J'espère qu'il est assuré.

— Ce n'est pas du tout ça, dit Johnny, ouvrant un bocal de sucreries bouillies et en enfournant une poignée dans sa bouche. C'est en direction de Bauravullen qu'ils sont allés. Prenez-en une ou deux, M. Higgins.

— Merci, Johnny, ça ne me dit rien, dit Sam avec une certaine morosité, jetant un regard à travers la porte de façon que Johnny ne voie pas combien il était affecté. Mais il y avait bien peu de choses que Johnny ne remarquait pas. Il alla à la porte, et resta là, mâchant les sucreries.

— Les veuves sont le diable, dit-il songeusement. N'importe quoi pourvu que ce soit en pantalons. Je suppose qu'elles ne peuvent pas s'en empêcher.

— Vous semblez en savoir un bout sur leur compte, dit Sam.

— Mon propre père est mort quand j'étais encore un enfant, expliqua Johnny discrètement. Habile bonhomme, ce jeune Cormody, ajouta-t-il les yeux baissés vers le sol.

— Une bombe humaine, dit Sam lourdement ironique.

— C'est ce que je me dis, c'est ce que je me dis, dit Johnny, qui ne savait pas ce que c'était l'ironie mais qui allait aussi loin qu'un homme comme lui pouvait aller pour faire comprendre qu'il y avait des choses à propos de Carmody qu'il n'approuvait pas.

Il poursuivit :

— Dommage qu'il devienne si querelleux dans la boisson, dit-il, regardant Sam de nouveau.

— Il l'est ? dit Sam.

— Lui-même et Donavan de la Bourse se disputaient hier soir. Je crois que Père Ring s'est mis à espérer qu'il va se ranger. Je me demande, il va le faire ?

— Que Dieu l'en préserve, dit Sam.

Il rentra chez lui mais il ne pouvait lire ni se reposer. Il faisait trop froid pour le jardin, trop chaud pour la pièce. Il mit à nouveau son chapeau et sortit se promener. Au moins, c'est ce qu'il se dit à lui-même comme allant pour une promenade, mais elle le fit dépasser le bungalow de Nancy. Il n'y avait pas de signe de vie à l'intérieur, et Sam ne savait pas ce qu'il fallait en penser. Il s'arrêta chez Johnny s'attendant à y trouver la Bombe, mais il n'y avait que deux gars du Conseil du Comté à l'intérieur, et Sam but quatre verres, trois de plus que ce qui lui était permis. Quand il sortit la lune était haute. Il reprit le même chemin, et cette fois, pas le moindre doute, il y avait de la lumière à la fenêtre du salon de Nancy et la voiture de la Bombe à l'extérieur.

Pendant deux jours à l'heure du déjeuner Sam ne montra pas le bout de son nez dans la cour de l'école. Quand il regardait au-dehors il voyait Carmody penché sur le muret, causant avec Nancy, et ricanant.

L'après-midi du troisième jour, tandis que Sam était dans le jardin, Nancy se présenta et Delia ouvrit la porte.

— Oh, là là, cria Delia de sa voix riante et aiguë. Tu te fais rare !

— Tu ne devinerais jamais ce que je faisais ? questionna Nancy.

— Je pense que tu te promenais en voiture, répliqua Delia avec un rire.

— Ah, on ne peut rien faire dans une ville comme celle-ci, dit Nancy avec un haussement d'épaules de dégoût. Où diable est Sam ? Je ne l'ai pas vu depuis une éternité.

— Il est dans l'atelier, dit Delia. Dois-je l'appeler ?

— On a le temps, dit Nancy gaiement, l'attrapant par le bras. Restons ici pour qu'on cause.

— Et comment va ton ami M. Carmody ? demanda Delia, tâchant de dissimuler sa blessure dans sa voix.

— Il va bien aussi longtemps qu'on ne sort pas en voiture avec lui, dit Nancy en riant, ne prenant pas garde à la nervosité de Delia. La personne qui lui a donné cette voiture n'était pas un ami.

— Je ne cours pas le danger d'être invitée, chérie, n'est-ce pas ? demanda Delia, mi-plaisante, mi-crispée. Et a-t-il toujours le mal du pays pour Kerry ? Je veux bien croire que non.

— Il va se ranger, dit Nancy, allégrement inconsciente du volcan d'émotion sous ses pieds. D'un pauvre type comme lui, élevé dans des contrées sauvages, qu'attendre d'autre ?

— Tu as raison, dit Delia. Tout va dans le même sens.

Juste à ce moment Sam traversait le jardin et entrait par la porte arrière sans remarquer la présence de Nancy. Il resta à la porte, essuyant ses bottes, son chapeau lui obstruant la vue, et rit d'une façon embarrassée. Même à ce moment-là, si seulement il avait pu l'accueillir comme il aurait voulu le faire, tout aurait pu être bien, mais lui, pas plus que Delia, n'était capable de dissimuler ses sentiments.

— Oh, bonjour, lança-t-il nonchalamment. Comment va ?

— Formidable, Sam, dit Nancy, se redressant et lui jetant un regard particulièrement tendre. Où est-ce que tu as été ces derniers jours ?

— Travaillant, dit Sam. Ou essayant de le faire. Il est difficile de faire quoi que ce soit quand les gens vous chipent des choses. C'est toi qui as pris le ciseau d'un quart de pouce, Delia ?

— Est-ce que c'est le grand ciseau, Sam ? demanda-t-elle innocemment.

— Non, dit-il d'une voix traînante. Pas beaucoup plus grand qu'un quart de pouce, si tu vois ce que je veux dire.

— Il se pourrait bien qu'il soit en haut de l'armoire, Sam, dit-elle d'un air coupable.

— Pourquoi diable les femmes ne peuvent-elles pas remettre les choses là où elles les trouvent ? grogna-t-il en prenant une chaise.

Il tâta en haut de l'armoire jusqu'à ce qu'il trouve le ciseau. Puis il le tint dans la lumière et ferma un œil.

— Bon Dieu ! gémit-il. Tu l'as utilisé comme tourne-vis ou quoi ?

— Je croyais que c'était un tourne-vis, Sam, répondit-elle avec un rire nerveux.

— Tu devrais l'utiliser sur toi-même, dit-il avec émotion, et il sortit de nouveau.

Nancy se renfrogna. Delia rit de nouveau, plus nerveusement encore. Elle savait quel sens donner à la scène, mais Nancy restait incrédule.

— Il paraît très occupé, dit-elle d'un ton blessé.

— Il est toujours en train de mettre la maison sens dessus dessous, expliqua Delia pour l'excuser.

— Il a quelque chose qui ne va pas ? demanda Nancy avec suspicion.

— Non, chérie, dit Delia. Seulement sa digestion. C'est toujours un problème pour lui.

— Je suppose que ce doit être ça, dit Nancy, pâlissant.

Ce ne fut qu'à ce moment qu'elle commença à se rendre compte que les Higgins ne voulaient plus d'elle. Profondément blessée, elle se mit à ramasser ses affaires.

— Tu ne vas pas partir si tôt, Nancy ?

— Il le faut. J'ai promis à Nellie un après-midi libre.

— Oh, chérie, Sam va être si déçu, soupira Delia.

— Il se remettra, dit Nancy. Au revoir, Delia.

— Au revoir, chérie, dit Delia, et après avoir fermé la porte elle laissa couler ses larmes. Dans une petite ville la fin d'une amitié a quelque chose à voir avec la mort. Delia avait entretenu l'espoir de quelque chose qui soit plus qu'une amitié. Nancy avait fait disparaître sa jalousie à l'égard d'autres femmes ; quand elle venait à la maison Sam était de meilleure humeur et Delia était de meilleure humeur aussi. Elle apportait de la jeunesse et de la gaieté à leurs vies.

Delia avait pleuré un bon coup avant que Sam revienne de la cour. Il ne dit rien au sujet de Nancy mais alla dans la pièce du devant et prit un livre sur une étagère. Après un bout de temps Delia sécha ses yeux et entra. Il faisait sombre à l'intérieur, et quand elle ouvrit la porte il sursauta, toujours un mauvais signe.

— Tu n'aimerais pas venir faire une petite promenade avec moi, chéri ? demanda Delia d'une voix qui s'éteignit dans un ton aigu.

— Non, Dee, dit-il sans se retourner. Je n'en serais pas capable.

— Je suis sûre qu'un petit verre chez Johnny te remonterait, insista-t-elle.

— Non, Dee, poursuivit-il sur un ton morne. Je ne pourrais pas supporter son bavardage.

— Alors, tu ne pourrais pas monter en ville et voir un médecin, Sam ?

— Ah, à quoi bon les médecins ?

— Mais il doit y avoir quelque chose, Sam, dit-elle.

Elle souhaitait qu'il le dise et en être quitte et la laisse essayer de le soulager autant qu'elle pouvait : ces deux-là devenaient vieux, dans un endroit isolé et inhospitalier.

— Je le sais bien moi-même ce qui ne va pas, dit-il. C'est ce bonimenteur, Carmody. Vingt ans que je suis à l'école et jamais jusque-là on ne m'a ri au nez. Maintenant il monte les garçons contre moi.

— Je pense que c'est dans ton imagination, chéri, dit-elle timidement. Je ne pense pas que M. Carmody pourrait jamais monter quelqu'un contre toi.

— C'est là où tu as tort, Dee, répliqua-t-il, secouant la tête, sûr de lui-même dans le désespoir. Ce type a été installé là dans un but précis. Ring a bien choisi son homme. Un de ces jours ils vont avoir un nouveau directeur.

4

L'école était devenue une vraie torture pour Sam. Carmody avait à moitié soupçonné sa jalousie et en profitait. Il envoyait des garçons à l'école des filles avec des billets et lisait les réponses

avec des sourires affectés et complaisants. Sam se comportait
comme s'il était drogué. Il ne pouvait pas retrouver des objets
qu'il avait eu en main, il oubliait les noms des garçons, et
quelquefois restait assis un quart d'heure d'affilée devant un
bureau derrière sa classe, frottant ses yeux et son front comme
frappé de stupeur.

   Il revenait à la vie uniquement quand il se chamaillait avec
Carmody. Il y avait une fenêtre que Sam exigeait qu'elle soit
ouverte et que Carmody tenait à ce qu'elle soit fermée. Cela
suffisait pour les faire exploser. Quand Carmody envoyait un
garçon fermer la fenêtre Sam demandait au garçon qui lui
en avait donné la permission. Alors Carmody se faisait raide
et plastronnant, et disait que personne ne pouvait l'obliger à
travailler avec un courant d'air derrière le cou et Sam répliquait
qu'un homme supérieur à Carmody avait travaillé dans les
lieux dix ans sans remarquer le moindre courant d'air. C'était
tout aussi futile que ça et Sam savait que c'était futile, mais
c'était de telles choses qui l'affectaient, et un tas de bonnes
résolutions ne contribuèrent d'aucune façon à améliorer la
situation.

   Pendant tout le mois de novembre il prit son repas près
du poêle de l'école, et quand il jetait un coup d'oeil au-dehors
c'était pour voir Carmody et Nancy prenant le leur à l'extérieur
et Nancy levant la main pour arranger ses cheveux et éclatant
d'un rire soudain. Sam sentait toujours que c'était un rire à
son sujet.

   Un jour il sortit, se mit à secouer la cloche de l'école, et
Carmody, qui se tenait assis sur le muret, sauta avec une
telle affectation d'agilité que le carnet tomba de la poche de
son gilet. Il avait été tellement occupé avec Nancy qu'il n'y
avait pas pris garde, et Sam si occupé de ses propres problèmes
qu'il continua dans la cour et ne le remarqua pas non plus.
Il vit un bout de papier qui avait servi pour envelopper le

déjeuner de quelqu'un, le ramassa et en fit une boule. Au même moment il remarqua le carnet, et, pensant qu'un des garçons l'avait laissé tomber, le saisit et en feuilleta les pages. Il devint perplexe parce que ce ne semblait pas être le carnet d'un écolier. Il concernait plutôt une fille à laquelle l'auteur s'intéressait. Il ne put s'empêcher de continuer à lire jusqu'à ce qu'il tombe sur un nom qui le fit rougir. Puis il reconnut l'écriture ; c'était celle de Carmody. Quand il tourna les pages et vit combien il s'agissait de cela, il le mit dans sa poche. Ensuite, il prit conscience de son geste et se persuada qu'il était en faute, mais dans le même temps il ne pensa pas, ne fût-ce qu'une seconde, qu'il y avait autre chose à faire. Pendant tout le temps de la première leçon il resta assis à son bureau et continua à lire, sa tête entre ses mains.

Or, Carmody était un jeune homme vaniteux qui pensait que tout ce qui le concernait était d'une importance telle que cela devait être enregistré pour le bénéfice de la postérité. Des choses pour lesquelles même Sam aurait été embarrassé de penser de lui-même, lui il avait tout transcrit. De plus, la vie de Sam avait été protégée. Il ne savait pas grand-chose des femmes excepté Delia. Il avait songé à Nancy comme étant une petite créature angélique dont la vie avait été brisée par la mort de son mari et qui passait le plus clair de son temps à penser à lui. Il apparaissait dans le carnet que ce n'était nullement de cette façon qu'elle passait son temps, mais à l'instar de n'importe quelle autre fille mauvaise, instable et sensuelle, elle se laissait faire l'amour dans des voitures par des bonimenteurs comme Carmody, qui même de son propre aveu n'avait pas de respect pour elle et ne voulait que voir jusqu'où une veuve comme elle irait. « N'importe quoi pourvu que ce soit en pantalons », comme Johnny avait dit. Johnny avait raison. Johnny savait quelle sorte de femme elle était. Il n'en fallait pas plus à Sam pour haïr Nancy autant que déjà il haïssait Carmody. Elle était un autre bonimenteur.

Puis il regarda l'horloge. C'était le moment de la dictée. Sans même réfléchir une seconde il alla au tableau noir, y effaça les additions et écrivit d'une écriture nette bien appliqué : « Le Journal d'un Bonimenteur ». Même en un tel moment il n'avait aucune idée de ce qu'il allait faire en fait, mais alors que les garçons s'installaient il inspira profondément et commença à lire :

— « 21 octobre, dicta-t-il d'une voix neutre, je crois que j'ai fait la conquête de la veuve. »

Il s'ensuivit un silence choqué et un garçon ricana.

— C'est bien suffisant, expliqua Sam d'un ton neutre, désignant le tableau noir. Je vous ai dit que ce type n'était qu'un bonimenteur, un de ces types qu'on voit à la foire, vendant de la bimbeloterie. Vous allez pouvoir vous en rendre compte avec ce qui suit.

Et il poursuivit à nouveau d'une voix monotone, une main tenant le carnet, l'autre dans la poche de son pantalon. Il savait qu'il se comportait de façon bizarre, voire scandaleuse, mais cela lui donnait une sensation incroyable de délivrance, comme si toutes les semaines de misère et d'humiliation étaient en train d'être payées enfin. C'était tout ce qu'il avait jamais pensé de Carmody, mais en pire. Pire, parce que comment est-ce que Sam aurait pu soupçonner que Carmody allait admettre la façon avec laquelle il avait fait l'amour la première fois à Nancy, juste pour garder la pratique (ses propres mots !), ou bien décrire la façon avec laquelle enfin l'amour était venu un soir du côté de Bauravullen quand le soleil se couchait derrière les pins et il se rendit compte qu'il ne méprisait plus Nancy.

Les garçons commencèrent à se gausser. Sam leva les sourcils et les regarda avec un sourire interrogateur comme s'il n'était pas très sûr de quoi ils riaient. D'une façon curieuse il commençait à s'amuser. Il se mit à le parodier adoptant le

style d'un mauvais comédien, balançant un bras, jetant sa tête
en arrière et roucoulant les phrases sirupeuses et pseudo-
byroniennes : « Et tout pour une veuve ! » lit-il, élevant la voix
et fixant Carmody des yeux. « Une femme qui a eu tout ça
avant. »

Carmody l'entendit et tout à coup reconnut le carnet. En
quelques foulées il atteignit l'avant de la classe et arracha le
livre de la main de Sam. Sam le lui abandonna et ne fit que
le regarder bouche bée.

— Hé, jeune homme, demanda-t-il aimablement, où est-ce
que vous allez avec ça ?

— Qu'est-ce que vous faites avec ça ? demanda Carmody
d'une voix terrible, encore la caricature de celle d'un mauvais
comédien. Il était toujours incrédule ; il n'arrivait pas à croire
que Sam avait réellement osé le lire à haute voix à sa classe.

— Oh, c'est notre morceau pour la dictée, dit Sam.

Et donnant un coup d'oeil au tableau noir.

— Je l'appelle « Le Journal d'un Bonimenteur ». Ça me
paraît aller plus ou moins.

— Vous m'avez volé mon Journal ! siffla Carmody.

— Votre Journal ! répliqua Sam avec le plus grand intérêt.
Vous n'êtes pas sérieux ?

— Vous savez parfaitement bien qu'il était à moi, cria
Carmody hors de lui. Vous avez vu mon nom et vous
connaissez mon écriture.

— Oh, mon Dieu, je ne savais pas, protesta Sam avec flegme.
Si quelqu'un m'avait dit que cette chose avait été écrite par
un homme instruit je lui aurais dit qu'il est un menteur.

Alors Carmody fit la seule chose qu'il pouvait faire, la chose
que probablement Sam avait espérée dans son cœur — il
expédia à Sam un coup sur la mâchoire. Sam vacilla, se reprit
et se rua sur Carmody. Ils s'empoignèrent. Les garçons
désertèrent leurs pupitres en hurlant. Un ou deux parmi eux

sortirent de l'école en courant. En quelques secondes les autres
s'étaient rangés en cercle pour encourager les deux instituteurs
en train de se battre. Sam était petit et agrippa son homme
par le bas. Carmody lui asséna des coups de poing dans la tête
d'une façon vicieuse et efficace mais Sam tenait bon, tirant
Carmody de droite et de gauche jusqu'à ce que Carmody ne
puisse plus se tenir debout. Enfin Sam donna un grand coup
en avant et envoya Carmody les quatre fers en l'air. Sa tête
fit tomber le pied de fonte d'un pupitre. Il resta inerte pendant
quelques secondes et puis se releva, serrant sa tête entre ses
mains.

Au même moment mademoiselle Daly et Nancy entrèrent.

— Sam ! cria Nancy, qu'est-ce qui se passe ?

— Écartez-vous, cria Carmody, sautant autour d'elles.
Écartez-vous pour que je le tue.

— Vas-y, espèce de bonimenteur ! articula Sam.

Sa tête était baissée, ses mains pendaient, et il regardait
Carmody lourdement par-dessus ses lunettes.

— Vas-y et t'en auras encore un peu.

— M. Higgins, M. Higgins ! cria mademoiselle Daly. Est-
ce que c'est que vous êtes devenus fous tous les deux ?

Ils recouvrèrent alors leurs esprits. Mademoiselle Daly prit
la situation en main. Elle sonna la cloche et vida l'école.
Sam se tourna de côté et commença à tâtonner comme un
aveugle sur le couvercle d'une boîte à craies. Carmody se
mit à s'épousseter. Puis, avec de longs regards en arrière, lui
et les deux femmes sortirent dans la cour où Sam les entendit
parler d'une voix forte et excitée. Il sourit vaguement, ôta
ses lunettes, et les essuya avec soin avant de ramasser ses
livres, son chapeau et son manteau, et ferma la porte de l'école
à clef derrière lui. Il savait qu'il le faisait pour la dernière fois
et n'éprouvait pas de regret. Les trois autres enseignants
s'écartèrent et il passa devant eux sans un regard. Il déposa

la clef au presbytère et dit à la gouvernante qu'il allait écrire. Le lendemain matin il prit le premier train et ne revint jamais.

Nous étions tous désolés pour lui. Pauvre Sam ! L'homme le plus brave qui ait jamais vécu, mais trop sincère, trop sincère !

Extrait de *My Œdipus Complex and Other Stories*.

BRYAN MAC MAHON

Retour de l'exilé

Le train siffla au loin. Le bruit se déplaçait en cercles dans la pluie qui tombait sur les champs sombres.

Quand il entendit le sifflement le petit homme debout sur le pont de chemin de fer jeta un rapide coup d'œil dans l'obscurité dans la direction du bruit, et puis se mit à courir dans le sens opposé vers la gare. Au-dessus de la passerelle métallique les lumières commençaient à luire faiblement et de façon indistincte tandis qu'il se dépêchait de courir. Le train arriva en gare avant lui : un cliquetis de chocs répétés et de grincements et de brillantes cartes à jouer alignées, il avança sous le pont. À l'extrémité de la gare la locomotive éructa de façon mal assurée ; puis elle tempêta et haleta, se noircit et se blanchit, et enfin, après un jet de vapeur bruyant, resta enchaînée.

Un passager descendit − un homme de forte carrure ressemblant à Victor McLaglen[1]. Il était vêtu d'un costume neuf bon marché et d'un pardessus. Une barbe noire de deux jours recouvrait ses bajoues renfrognées. Les yeux sous la casquette étaient sombres et un peu fous. Il tenait d'une main une serviette usée entourée d'un bout de corde. Claquant la portière du train

---

1. Célèbre acteur britannique (1886-1959) *(N.D.T.)*.

qui se referma de mauvaise humeur derrière lui, il se mit à scruter intensément le quai d'une extrémité à l'autre.

Un porteur qui s'avançait le regarda, l'abandonna comme ayant peu d'intérêt, puis comme s'il s'en souvenait, lui jeta un nouveau coup d'œil. Alors qu'il s'éloignait, les yeux du porteur demeuraient toujours sur le passager. Le conducteur d'une carriole de louage, fixant avec dégoût les poignées des portières du train alignées l'une à la suite de l'autre sans qu'il en tire le moindre profit, eut un sourire grimaçant pour lui-même à la vue du grand type. Des garçons nu-pieds arrachant des paquets de magazines qui étaient jetés du fourgon ne prêtaient nulle attention à l'homme qui restait debout tout seul. On pouvait voir la pluie en train de tomber sur la surface criblée du calcaire taillé en bordure du quai.

Juste alors le petit homme se précipita par la porte de la gare. Le bas de ses pantalons était noué sur des bottes maculées de terre glaise au-dessus desquels il portait un grande capote verte d'occasion de l'Armée. Un chapeau tacheté de transpiration restait de guingois sur sa tête. Après un moment d'hésitation il se précipita en avant à la rencontre du nouveau venu qui se balançait.

— Te v'là, Paddy ! tonna le petit homme avec bonne humeur, mais sans trop s'approcher du grand type.

Le grand type ne répondit pas. Il se mit à quitter la gare à pas lourds. Le petit homme se déplaça en sautillant près de lui, lançant des questions auxquelles il n'obtint pas de réponse.

— T'as eu une bonne traversée, Paddy ? C'est vrai que la mer d'Irlande est aussi méchante que May Eve ? Y a pas mal d'Irlandais à Birmingham, j'imagine ?

Finalement, sur un ton qui signifiait que la question allait davantage à l'essentiel que les précédentes :

— Ça fait combien de temps que t'as été absent, Paddy ? Plus de six ans, non ?

Paddy avançait lourdement sans répondre. Quand ils eurent atteint les premières maisons de la petite ville de campagne, il regarda d'un air menaçant derrière son épaule le pont à dos-d'âne qui menait au-dessus de la ligne de chemin de fer vers les champs : après un petit moment il ramena lentement son regard devant lui et regarda la rue qui descendait de la gare.

— Allons boire un verre, Timothy ! dit le grand type, maussade.

— Un verre, Paddy ! acquiesça l'autre.

Le pub rutilait à la manière ancienne. Le papier peint en relief entre les étagères avait été badigeonné en vert citron. Au moment où ils entrèrent dans le bar le tenancier était en train de se retourner un verre de pinte plein à la main. Ses yeux se durcirent en voyant Paddy : il s'attarda une fraction de seconde avant de déposer le verre sur le comptoir devant le client.

Tandis qu'il essuyait ses mains sur son tablier bleu, son visage prit une expression appliquée :

— De retour, hé, Paddy ? questionna le tenancier, faussement amical. Une molle poignée de main s'ensuivit.

Paddy grogna, puis vacilla vers l'extrémité opposée du bar. Là, huché sur un haut tabouret, il s'accouda contre le comptoir. Timothy prit un siège près de lui, se plaçant de biais par rapport au comptoir comme s'il voulait protéger le grand type du regard des autres clients. Paddy commanda deux pintes de brune. Il régla les consommations avec une bourse grasse de modèle ancien avec des coupures anglaises. Timothy leva son verre plein à ras bord — sa taille semblait le rapetisser — et aventura :

— Santé !

Paddy répondit par un grognement. Les deux hommes inclinèrent leurs verres col contre col et avalèrent les trois quarts de leur contenu. Paddy posa son verre et regarda sombrement devant lui. Timothy déposa soigneusement le sien sur le comptoir, puis plaça son visage plus près de l'autre.

— T'as eu ma lettre, Paddy ?

— Ouais !

— Tu n'es pas fâché contre moi ?

— Fâché contre *toi* ? éclata le grand type d'un rire si bruyant qu'il fit sursauter les clients.

Il y eut un long silence.

— J'ai eu ta lettre ! dit Paddy abruptement.

Il se retourna et pour la première fois fixa droit dans les yeux son petit compagnon. D'une façon étudiée il introduisit le gros index usé de sa main droite à l'intérieur du bouton de chemise de l'autre. Comme, lentement, il commençait à tourner son doigt, le col se resserra. Quand il fut tout raide, Paddy tira le visage de l'autre près du sien. Les deux hommes assis étaient si près l'un de l'autre que les consommateurs dans le bar ne savaient pas ce qui se passait. Le visage de Timothy changea de couleur, mais il ne leva pas ses mains pour chercher à se dégager.

— Tu jures que c'est vrai ? grogna Paddy.

Timothy suffoqua :

— Parole d'Évangile, c'est vrai !

— Jure-le !

— Que je sois roué de coups si j'te raconte un seul mot mensonger. Chaque foutu mot que j't'ai écrit est vrai !

— Pourquoi t'as pas envoyé un mot plus tôt ?

— Je savais pas très bien où t'étais, Paddy. Si ç'avait pas été le retour de Danny Greaney, j'aurais jamais eu ton adresse. Et tu sais que je suis pas fort avec la plume.

— Pourquoi tu m'as pas laissé comme j'étais — sachant rien ?

— On est des copains depuis toujours, Paddy. Je trouvais bien dommage que tu continues à lui envoyer des montagnes d'argent, et elle comme ça. Tu m'étrangles, Paddy !

Comme Paddy serrait encore plus, le trou de bouton se déchira et le col sortit dans son doigt replié. Il le regarda bêtement. Timothy calmement leva la paume de sa main à son cou abîmé. Paddy jeta le bouton derrière lui. Celui-ci frappa la poutre de l'escalier.

— *Ach !* dit-il rudement.

Il vida son verre et du fond frappa le comptoir. Le tenancier vint à nouveau remplir les verres.

Timothy souffla :

— Qu'est-ce que tu vas faire, Paddy ?

— Qu'est-ce que je vais faire ?

Paddy rit.

— Je vais boire ma pinte, dit-il.

Il avala une gorgée :

— Ensuite, probablement, je serai pendu à cause d'elle.

— Chut ! souffla Paddy.

Timothy jeta un regard au miroir publicitaire : derrière l'image de petits hommes chargeant des petites barriques sur un petit camion à chevaux il vit le tenancier les yeux fixés sur eux deux. Timothy l'avertit d'un bref regard. Il tourna rapidement les yeux dans la salle : les dos des autres clients étaient un peu trop tendus pour qu'il se sente à l'aise. Puis le tenancier soudainnement parvint à forcer la défense de Timothy.

Essuyant le comptoir :

— Comment vont les choses là-bas, Paddy ?

— Pas mal !

— J'ai entendu de bons rapports sur toi de Danny Greaney. Nous étions tous persuadés que tu ne rentrerais jamais chez toi, toi qui connaissais le succès. Comment peux-tu te satisfaire d'un trou comme le nôtre après tout ce que tu as vu ? Mais, après tout, rien ne vaut le pays !

Le tenancier ne fut pas intimidé par le regard menaçant de Timothy. Paddy leva ses yeux un peu fous et regarda droit dans les yeux l'homme derrière le comptoir. Le mouvement du torchon s'éloigna rapidement.

— Pendu pour elle, je l'serai ! dit Paddy à nouveau.

Il éleva la voix :

— La minute même que je tourne le dos…

— Chut ! supplia Timothy.

Il renifla son verre presque vide, puis dit dans un grand souffle :

— Cette foutue bière sent le tonneau. On s'en va d'ici !

Le mot « tonneau » réussit à faire bouger Paddy. Il piqua aussi la fierté du tenancier. Après leur départ celui-ci, sous le prétexte de fermer la porte, les suivit du regard. Il se retourna et lança une plaisanterie en direction de ses clients. Comme récompense il eut un tonnerre de rires.

Paddy et Timothy étaient maintenant en train de marcher dans la direction du pont en dos-d'âne qui mène à la campagne. Timothy portait la serviette usée. Paddy avait entouré de son bras l'épaule de son compagnon. L'air vif mettait à l'épreuve la sobre démarche du grand type.

— Rien à la hâte ! conseillait Timothy. Tout d'abord nous éviterons le cottage pour nous rendre chez moi. Tu dormiras à la maison cette nuit. N'oublie pas, Paddy, que j'ai écrit cette lettre par pure amitié !

Paddy ôta sa casquette et laissa la pluie frapper son front.

— J'irai jusqu'en haut des gibets pour elle ! dit-il.

— Du calme et du sang-froid, voilà mon conseil.

— Quand ces deux mains seront autour de sa gorge, on l'entendra glapir jusque en Extrême-Orient !

— Rien à la hâte, Paddy ! Rien du tout à la hâte !

Paddy plaqua son ami contre le parapet du pont de chemin de fer.

— Six ans, c'est trop à la hâte ? rugit-il.

— Pour l'amour de Dieu, lâche-moi, Paddy ! Je suis le seul ami qui te reste ! Lâche-moi !

Tous les deux titubaient sur la route en pente. Les aubépines en ce moment se tenaient de chaque côté d'eux, distillant leurs gouttes d'épine à épine dans le noir. Loin de l'autre côté de la crête du comté, l'éventail lumineux d'un phare balayait de son arc le rivage et la mer et le ciel. Là où se trouvait un trou dans les haies, un lambeau de vent rassemblait ses forces et tâchait sans résultat de les déstabiliser.

Paddy commença à grommeler un air peu mélodieux.

— Tais-toi, l'homme ! ou le monde entier saura que t'es de retour, dit Timothy.

— Comme si je m'en foutais pas !

Paddy s'arrêta et vacilla. Après un instant il murmura :

— L'autre type… il est parti depuis longtemps ?

Timothy hennit :

— Une seule nuit il est resté, comme le cirque Duffy.

Il poussa son chapeau plus en arrière sur sa tête et puis, son visage solennel incliné vers la fuite de la lune, dit :

— Tu veux mon opinion sûre et certaine, Paddy ? C'était pas plus qu'une chute de chance. Son humeur du moment et l'homme qu'elle rencontre. Peut-être cela n'arriverait jamais à nouveau dans un million d'années. Une chute de chance, c'est tout ce qu'il y a eu, dans mon opinion bien pesée.

Bruyamment :

— Est-ce que tu m'as jamais vu ne pas tenir parole ?

— Jamais, Paddy !

— Alors je serai pendu pour elle ! Tu as ma permission de venir dans le box des témoins et de jurer que Paddy Kinsella a dit qu'il serait pendu pour elle !

Il se mit de nouveau à chanter.

— Nous sommes tout à côté de la maison, Paddy. Tu ne veux pas réveiller tes propres enfants, n'est-ce pas ? Tes propres beaux garçons légalement conçus. Hé, Paddy ? tu veux pas les réveiller ?

Paddy s'arrêta un instant :

— Légalement conçus est juste. Là, tu l'as dit !

— Demain est un autre jour. Nous aurons demain avec elle

une explication, et verrons comment elle s'en tire. Je savais très bien que tu ne voudrais pas déranger tes propres fils.

Ils continuaient à vaciller dans l'obscurité. Comme ils s'approchaient du cottage bas, à toit de chaume, un peu en dessous du niveau de la route, Timothy de nouveau pressa Paddy d'avancer. Les bottes de Paddy traînaient plus qu'auparavant. L'anxiété était en train de gagner Timothy à cause du peu de progrès qu'ils faisaient. Il continuait à dire :

— Demain est un autre jour, Paddy ! Moi je mettrai la corde autour de son cou pour ton compte. Ne réveille pas les garçons ce soir.

Arrivé juste à la hauteur du cottage, Paddy fit halte. Il oscillait et regardait d'un air menaçant la petite maison avec ses fenêtres minuscules. Il se redressa de tout son haut :

— Elle est couchée ? grogna-t-il.

— Elle est chez McSweeney. Elle va là pour avoir de la compagnie. Une demi-heure le soir quand les mômes sont au lit. Tu vas pas lui tenir rigueur pour ça, Paddy ?

— Je ne vais pas lui tenir rigueur pour ça !

Paddy avança d'un pas, puis assura ses bottes d'une façon plus ferme encore sur le chemin. Il tituba :

— Et… ? il demanda.

— Une fille, Paddy, une fille !

Un grognement suivi par un deuxième pas en avant.

— Qui aura six ans, c'est ça ?

— C'est ça, Paddy ! Six ans.

Encore un pas :

— Comme la mama, ou… le papa ?

— La mama, Paddy. Presque tout de la mama. Allez, viens, et tu auras un bon sommeil ce soir sous mon toit.

Paddy loucha vers le cottage, grogna avec mépris dans sa direction, puis cracha sur le chemin. Il manifesta quelques velléités de poursuivre plus avant. Puis d'une façon imprévisible il repoussa la main de Timothy qui le retenait, se dégagea violemment et alla en tanguant vers le passage qui conduisait en bas au cottage.

Après un regard épouvanté sur la route, Timothy se lamenta :

— Dans une minute elle sera là !

— Je vais voir mes fils légalement conçus, grogna Paddy.

Quand Timothy le rattrapa le grand type était en train de jouer nerveusement avec le cadenas de la porte. Comme si une idée lui était venue il se précipita sur le côté et farfouilla vainement en tâtonnant à l'angle du linteau de la fenêtre.

— Elle emporte la clef avec elle, dit Timothy. Pour l'amour de Dieu, laisse ça jusqu'au matin.

Mais Paddy avançait déjà maladroitement sur le chemin de galets qui conduisait au pignon du cottage. Trouvant la porte de derrière fermée par la barre à l'intérieur, il s'en écarta avec colère. Il était sur le point de la défoncer lorsque Timothy découvrit que la fenêtre à gonds de la cusine était entrouverte. Quand Timothy poussa la fenêtre une odeur de fumée de tourbe s'échappa. Paddy posa une botte dans une niche imaginaire du mur et creusa dans le plâtre jusqu'à ce qu'il eût trouvé une sorte de point d'appui.

— Prends ma jambe ! commanda-t-il durement

Timothy se mit à pousser la jambe de Paddy vers le haut. Labourant les épaules du petit homme de ses bottes et de sa main, le grand type plongea par la fenêtre ouverte. À plat-ventre sur la table de la cuisine, il resta à souffler bruyamment pendant une bonne minute, puis laborieusement en grognant il se fraya un chemin jusqu'au plancher par l'intermédiaire d'une chaise en rotin.

— Tu vas bien, Paddy ?

Un grognement.

— Tire le verrou de la porte de derrière, Paddy.

Un long moment suivit. Enfin le verrou fut tiré.

— Où diable se trouve la lampe ? demanda Paddy en pataugeant dans l'obscurité.

— Elle l'a changée de place, elle est maintenant à droite de
la fenêtre.

L'allumette de Paddy flamba, hésitante. Il la maintint en l'air.
Puis il se pencha, souleva le globe et le posa sur la table. « Elle
marche » dit-il, allumant la mèche et remettant le globe.
Maladroitement il remonta la mèche. Il se mit à regarder ici et
là dans la cuisine.

Le feu avait été ramassé dans ses propres cendres rougeâtres.
Deux chaises de rotin étaient disposées de part et d'autre de
l'âtre. Des poteries de Delft renvoyaient leurs couleurs rouge,
blanc et vert sur le large dressoir. Le bois des chaises et une
table de bois blanc étaient blanchis sous l'effet des nettoyages
successifs. Paddy fronçait les sourcils en regardant chacun des
objets. Timothy restait à côté de lui à le surveiller attentivement.

— Voir mes propres garçons ! dit Paddy, fixant son regard sur
la porte de la chambre à l'arrière du cottage.

— Attention ! conseilla Timothy.

À la lueur d'une allumette qu'il tenait en l'air, il regarda les
garçons. Quatre garçons qui dormaient par deux dans deux lits
jumeaux à dosserets de fer. Chacun des garçons avait une
serpillière de cheveux noirs et de lourds sourcils. Le plus âgé
dormait avec le plus jeune et les deux garçons d'âge intermédiaire
dormaient ensemble. Ils étaient étalés en désordre dans des
postures diverses.

Paddy était devenu étonnamment calme.

— Je le jure devant Dieu, dit-il, j'aurais pu les rencontrer
sur la route que je les aurais pas reconnus !

— Voilà un fameux garçon !

Timothy saisit par les cheveux l'un des garçons d'âge
intermédiaire et fit tourner sa tête engourdie de sommeil. Puis
il reporta son attention sur l'autre garçon formant la paire :

— V'là ton image parfaite, Paddy !

Montrant le plus âgé :

— Voilà ta propre image venue dans le monde une seconde fois, le tempérament noir du diable et tout !

Montrant le plus jeune :

— V'là Bren — il rampait à terre la dernière fois que tu l'as vu. Ouais ! De beaux chiots tous épatants !

— Épatants ! renchérit Paddy bruyamment.

L'allumette se consumait entre ses doigts. Puis ce fut l'obscurité :

— Mes fils légalement conçus ! dit-il avec amertume.

Timothy se tenait dans l'encadrement de la porte.

— Il faut partir, maintenant ! dit-il.

Après un grognement Paddy le rejoignit.

Timothy observa :

— Il faut que l'un de nous deux sorte par la fenêtre. Sinon elle verra que le verrou a été tiré.

Paddy ne dit rien.

— Tu n'arriveras jamais à passer par la fenêtre une deuxième fois.

— Je passerai après toi, dit Paddy

Timothy se retourna à regret.

— Où est… ? demanda Paddy.

Il se tenait debout au fond de la cuisine.

— La… ?

— Ouais !

— Elle est dans la pièce de devant. Tu vas pas… ?

Paddy était déjà devant la porte de l'autre pièce.

— Elle dort comme une chatte ! prévint Timothy avec précipitation. Si elle parle de moi à la mère, tout est fichu !

Paddy ouvrit la porte de la pièce du devant. À nouveau respirant lourdement il se mit à triturer la boîte d'allumettes. Dans l'embrasure de la fenêtre passait la vie nocturne filante du ciel. La flamme de l'allumette s'éleva et dévoila une couverture cousue à motifs de mèches de bougies. Puis brusquement là où les draps de lit avaient formé une balle compacte il n'y avait plus de balle. Comme si elle était en train de jouer à un jeu amusant la petite fille, tel un lutin à ressort, les cheveux bouclés couleur paille et les yeux bleus, se redressa.

— Qui est-ce ? demanda-t-elle sans montrer de crainte.

La flamme de l'allumette brillait haut au-dessus d'elle. Paddy ne répondait pas.

Le rire de la fillette tinta fort.

— Tu es dans la cuisine, Timothy Hannigan, cria-t-elle. Je reconnais ton reniflement.

— Grands dieux ! souffla Timothy.

— Je t'ai aussi entendu parler, mon gars, dit-elle avec une joie exubérante tandis que la flamme de l'allumette s'éteignait entre les doigts de Paddy.

— C'est bien moi, Maag, dit Timmy, s'avançant comme pour s'excuser jusqu'à l'entrée de la pièce

— Allons-nous-en ! dit-il dans un souffle à Paddy.

— Est-ce que je ne savais pas très bien que c'était toi, mon gars ! rit Maag. Elle releva ses genoux et les enserra de ses mains d'un geste adulte.

Une autre allumette flamba entre les doigts de Paddy.

— Qui est-ce ce type ? demanda Maag à Timothy.

Timothy avança sa tête dans la pièce.

— C'est ton… ton oncle !

— Mon oncle comment ?

— Ton oncle… Paddy !

Paddy et Maag se regardèrent longuement l'un l'autre.

Timothy chevrota :

— Tu dis pas à ta mère que j'étais ici ?

— Tu crois ça ! rit la fillette. Attends jusqu'à ce qu'elle arrive !

Timothy grogna :

— Allons, foutons le camp ! dit-il, montrant une étincelle d'intelligence.

Contre toute attente Paddy obéit. Ils fermèrent la porte de la pièce derrière eux.

— Toi, c'est la porte arrière ! dit Timothy. Je m'occupe de la lampe et du verrou.

— Ouste, dehors ! grogna Paddy.

Il restait placide comme un bœuf. D'une façon dubitative il dit :

— Très bien !

Timothy sortit. De l'autre côté de la porte arrière, il cria :

— Pousse le verrou tout de suite, Paddy. Elle sera de retour d'une minute à l'autre.

Paddy poussa le verrou.

— Éteins la lampe, Paddy !

La tête et les épaules de Timothy s'encadrèrent dans la fenêtre. Après un instant Paddy souffla la lampe.

— Dépêche-toi, Paddy ! Lève ta jambe !

Pas de réponse.

— Dépêche-toi, Paddy, j'te dis ! Qu'est-ce t'as, l'homme !

Paddy poussa un grognement.

— Je regrette maintenant de pas t'avoir étranglé.

— M'étrangler ! C'est ça ta foutue façon de me remercier ?

— Ça n'a jamais été dans mon genre d'avoir du respect pour un mouchard.

— Ton genre ! cria Timothy. Toi, avec un coucou dans ton nid !

— Si j'avais mes mains sur ta gorge…

— Haou ! Toi avec le nid volé.

— Va-t-en pendant que t'es encore entier… La boisson m'a rendu paresseux. Je t'donne jusqu'à cinq. Un, deux…

Timothy s'en alla.

Paddy s'assit sur le siège rudimentaire à gauche de la cheminée. Il se mit à tâtonner pour trouver les pincettes. Finalement il mit la main dessus. Il dégagea les charbons rougeoyants de tourbe des cendres et les assembla dans une sorte de pyramide. Les flammes s'élancèrent.

La porte de la chambre de devant grinça en s'ouvrant. Maag était là, vêtue d'une longue chemise de nuit blanche.

— Tu le grondais ?

— Ouais, répondit Paddy.

— Il en a bien besoin ! Il est toujours en train d'espionner maman.

Après une pause, la fillette avança au milieu de la cuisine.

— Vrai, demanda-t-elle, t'es mon oncle ?

— D'une certaine façon !

— Quelle façon ? fit-elle en écho.

Elle avança d'un pas.

— T'as froid, ma petite ? demanda Paddy.

— J'ai froid et je n'ai pas froid. De quelle façon t'es mon oncle ?

Il n'y eut pas de réponse.

— Peut-être t'es mon vieux de retour d'Angleterre ? sortit-elle brusquement

— P't-être.

La voix de la fillette était tremblante de bonheur.

— Je savais que tu serais de retour ! Tout le monde disait non, mais moi je disais oui — que tu serais pour sûr de retour.

Une pause. Un pas en avant.

— Qu'est-ce que tu m'as apporté ?

D'une façon appliquée il mit sa main dans sa poche. Ses doigts rencontrèrent une pipe, un demi-quart de tabac, un clou de six pouces, un mouchoir noué, et la lettre froissée de Timothy.

— Je l'ai laissé dans le train, dit-il mollement.

Très vite elle surmonta sa déception.

— Tu ne peux pas l'avoir en ville samedi ? dit-elle, se rapprochant encore plus.

— Tu as raison, convint-il.

Il y eut un court silence. Puis :

— Viens par ici au feu, dit-il.

Elle vint et se tint entre ses genoux. Les innombrables volutes de ses boucles étaient entre lui et la lueur du feu. Elle sentait le savon. Les doigt de Paddy touchèrent ses bras. Pour sûr la mère était dans elle. Il savait ça à la façon que sa chair se montrait confiante et sans peur.

Ils restèrent ainsi sans parler jusqu'à ce qu'un pas léger sur la route la rendît pétillante de vie.

— Maman me tuera pour être sortie du lit, dit-elle.

Le corps de Paddy se raidit. La fillette se débattant pour se libérer, il la maintint fort. Tout d'un coup elle se fit molle, et rit :

— J'avais oublié ! souffla-t-elle. Elle ne me touchera pas parce que t'es de retour.

Elle se tordit doucement d'un rire mystérieux.

— J'étais pas sotte d'oublier ?

La clef était dans le cadenas. La porte s'ouvrit. La femme entra, son châle entourant ses bras.

— Maag ! souffla-t-elle.

La fillette et l'homme étaient entre elle et la lueur du feu.

La femme demeura sans parler dans l'encadrement de la porte. L'enfant ne dit rien mais son regard alla de l'un à l'autre. La femme attendit pendant un moment. Lentement elle ôta son châle, puis referma la porte derrière elle. Elle traversa sans hâte la cuisine. Une allumette crissa. Elle alluma la lampe chaude. Tandis que la lumière montait, on voyait Paddy regardant fixement dans le feu.

— T'es de retour, Paddy ?

— Ouais.

— T'as eu une bonne traversée ?

— Moyenne.

— T'as faim ?

– Je verrai… tout à l'heure !

Il y eut un long silence. Ses doigts nerveux, la femme se tenait au milieu de la cuisine.

Sa voix se fit plus forte :

– Si tu as quelque chose à faire ou à me dire, Paddy Kinsella, tu devrais en finir. Je ne suis pas quelqu'un à attendre !

Il ne dit rien. Il tenait ses yeux fixés sur l'âtre.

– Tu m'entends, Paddy ? Je veux pas jouer au chat et à la souris avec toi. Je sais ce que je suis. C'est pas la peine de me traiter de tous les noms quand tout le pays l'a déjà fait avant toi.

Il garda le silence.

– Ne rien dire ne t'avance pas. Je t'ai déçu, Paddy. Sois un homme et dis-le devant moi !

Paddy se retourna.

– Tu m'as bien déçu, dit-il d'une voix nette.

Il revint à l'âtre et ajouta dans un murmure :

– Moi-même je n'ai pas été un ange !

Les lèvres tremblantes de la femme étaient incrédules.

– Nous sommes quittes, alors ? s'aventura-t-elle enfin.

– Quittes !

– Tu ne vas pas continuer à me le jeter à la figure ?

– Je ne le ferai pas.

– Devant Dieu ?

– Devant Dieu.

La femme fit le signe de croix et s'agenouilla sur le sol.

– Devant mon Dieu, dit-elle, parce que tu as été juste avec moi, Paddy Kinsella, je serai mieux que trois femmes pour toi. Je n'ai pas tenu ma promesse de notre matin de mariage, mais je saurai compenser ça. C'est ma parole faite devant mon créateur !

Maag regardait toujours avec gravité. La mère se signa et se releva. Sombrement Paddy était en train de fouiller dans la poche de sa veste. Enfin ses doigts rencontrèrent ce qu'il cherchait.

— J'savais bien que je l'avais ici que'que part, dit-il.

Il exhiba un caramel enveloppé dans du papier froissé.

— Je l'ai eu d'un môme sur le bateau.

Le visage de Maag s'illumina de plaisir :

— Ça ira jusqu'à samedi ! dit-elle.

La bouche de la fillette se mit en action sur le caramel nu. Alors, le caramel dans sa joue, elle s'élança et courut à travers la cuisine. Elle ouvrit brusquement la porte de la chambre des garçons.

— Sortez de là ! cria-t-elle. Le vieux est de retour !

Extrait de *The Red Petticoat and Other Stories*.

MARY LAVIN

Une journée humide

— Comment sont vos laitues Ma'am ? demanda le vieux prêtre de la paroisse. Un peu partout j'ai entendu dire qu'elles ne donnent rien cette année.

Il cessa de parler, souffla bruyamment du nez dans son mouchoir, et puis se mit à regarder autour de lui.

— Des limaces, dit-il alors avec la plus grande sévérité, et il se mit de nouveau à marcher à quelque distance derrière ma tante.

Il n'y avait pas assez d'espace pour marcher côte à côte sur l'étroit sentier du jardin. Nous marchions en file ; nous trois. Une minute plus tard le vieil homme se retourna et regarda dans ma direction.

— Des limaces, dit-il de nouveau, et le simple fait qu'il eût mis le mot au pluriel m'évita d'avoir le sentiment que ce vieil homme robuste et brusque m'avait donné un nom peu flatteur.

— Mes laitues sont superbes cette année, dit ma tante, comme tous trois sans que nous nous en fussions rendu compte suivions le sentier détrempé qui menait au potager, et elle saisit fermement mon bras, même si cela voulait dire que nous nous mouillerions les jambes à cause de l'herbe de chaque côté. Le père Gogarty se méfiait des étudiants et ma tante avait sans doute pris mon bras dans l'hypothèse où je serais offensée par quelque remarque qu'il pourrait faire, ce qui était peu probable. Ma tante se montrait toujours nerveuse quand un membre du clergé du pays lui rendait visite parce que nous avions échangé deux ou trois paroles assez vives, elle et moi, à propos d'une chose ou d'une autre, et elle commençait à prendre conscience que lorsque je me mettais à évaluer un homme je n'accordais pas de crédit aux cols ronds et au tussor en soie. Il m'est arrivé de faire la connaissance de quelques hommes estimables qui portaient l'habit religieux, mais mon respect pour eux n'avait rien à voir avec leur habit. Ma tante, cependant, n'accordait aucun crédit à tout ce que je pouvais dire sur certains sujets. Elle claquait la porte sur tous mes arguments. Quelquefois elle s'avançait assez loin pour dire qu'elle se demandait si mes parents avaient bien fait de m'envoyer à l'université. C'était là que j'avais eu mes idées, disait-elle ; idées dont elle se défiait. Quand elle n'était pas trop fâchée pour écouter, elle m'interrompait si souvent qu'elle ne pouvait pas saisir le quart de ce que je disais. Anticléricalisme primaire était l'expression qu'elle employait le plus souvent pour battre en brèche mes remarques. Mais en fait je crois qu'elle se plaisait secrètement dans ces joutes qui nous opposaient, et que celles-ci lui donnaient un sentiment de satisfaction comme si elle eût été une Combattante de la Foi. Je pouvais comprendre, naturellement, qu'elle n'aurait pas aimé que les étrangers surprennent mes vues. Et elle vivait dans la terreur que j'offense le clergé de l'endroit.

C'est pour cette raison qu'elle me tenait près d'elle tandis que nous nous dirigions vers le potager. Elle voulait me garder à ses côtés afin de pouvoir me serrer le bras et me donner un coup de coude, et, plus généralement, exercer un contrôle sur ma conversation et mon comportement.

Nous marchions le long du sentier du jardin.

Juste à l'intérieur du potager il y avait un grand buisson de fuchsias disloqué qui dominait, lourd des gouttes de pluie, le sentier de graviers. Nos jambes étaient éclaboussées de gouttes d'eau.

— Vous devriez tailler ces buissons, Ma'am, dit le curé. Rien de tel que les pieds mouillés pour attraper vite fait un rhume.

— Je sais bien, Père, dit ma tante avec un ton de déférence, mais ils sont si jolis un jour de soleil ; si échevelés et sans prétention.

— Un jour de soleil ! dit le vieil homme. Et quand avons-nous un jour de soleil dans ce pays, j'aimerais bien savoir ? Autant que je puisse voir, c'est la pluie, la pluie, la pluie.

Tout en parlant il secouait le buisson en lui donnant des coups irrités de sa canne, et nous savions que ses pensées remontaient aux jours qui avaient précédé son ordination, au temps où il se promenait le long des routes brûlées de soleil dans Rome, et essuyait la sueur de son jeune visage cramoisi.

Il nous racontait souvent des histoires se rapportant à ces jours, et toutes ses histoires étaient emplies d'éclats de soleil, qui compensaient l'absence d'humour. Nous pensions malgré nous aux flaques de soleil sur les pavés brûlants de la ville, entre les ombres fraîches des feuilles de citronniers. Nous pensions aux brouettes de melons et aux papayes et aux courges énormes ; excroissances cireuses de rouge et de jaune. Nous pensions au jeune prêtre d'Irlande dans son habit d'alpaga noir luisant, posant ses mains sur elles, et souriant de les sentir chaudes ; parce que dans son pays elles étaient toujours froides au toucher, avec un soupçon d'humidité sur elles.

Elle était très extraordinaire notre façon de penser à sa jeunesse chaque fois que nous le voyions, parce ce que cela remontait à quarante-cinq années, si ce n'est plus, quand il s'était agenouillé devant le pape à Rome, et pendant ces quarante-cinq années nous-mêmes ne l'avions connu que pendant dix années — les dix dernières. Et ces dix années avaient été les années les moins propices à nous inciter à penser à sa jeunesse passée dans la chaleur et débordante de santé, parce que pendant tout ce temps-là il avait été délicat et souffrant, et les charges de la paroisse pesaient lourdement sur lui.

Il semblait toujours avoir froid, et bien que son visage eût pris une teinte rosée comme une pomme, avec ses veinules éclatées, il paraissait toutefois bleu de froid quand nous nous tenions assis à le regarder dans l'austère église de béton où il disait sa messe de façon routinière, et prononçait un sermon dur et sec, tenant une montre d'argent terni dans une main, et son regard se lançant d'un côté à l'autre de l'église, de l'arrière vers l'avant, des stalles de l'orgue aux marches des tribunes, selon l'endroit où le toussotement ou l'éternuement échappait à quelque personne imprudente. Il y avait toujours quelqu'un qui toussait ou qui réprimait un toussotement. Il disait qu'il aimerait prêcher un jour un sermon sur la façon d'éviter les rhumes ; il aurait aimé dire aux gens ignorants au fond de l'église de fermer rapidement le portail quand ils entraient, et de ne pas le maintenir ouvert pour quelqu'un à mi-chemin sur le sentier à l'extérieur. On attrapait davantage de rhumes par fausse politesse, expliquait-t-il, que par toute autre façon. Il aurait aimé dire à ses fidèles de mettre leurs mains devant leurs bouches quand ils éternuaient. Mais il savait qu'un tel sermon n'aurait pas été compris dans l'esprit dans lequel il était fait, si bien qu'il devait se contenter de s'arrêter au milieu d'une phrase quand quelqu'un toussait, et de fixer le coupable jusqu'à ce que ce que cela devienne un regard d'opprobre. Probablement ils devaient penser qu'il était irrité par l'interruption, mais ils auraient dû savoir, si leurs cerveaux fonctionnaient un tant soit peu à cette heure matinale, que rien ne pouvait interrompre le mécanisme parfait de ses phrases. Elles coulaient doucement dans les travées qu'elles avaient taillées pour elles-mêmes à travers dogme et doctrine, il y avait plus de quarante ans, alors qu'il était un vicaire consciencieux, sous les ordres d'un curé consciencieux.

Très remarquable était la façon qu'avait Père Gogarty de s'arrêter pour jeter des regards circulaires dans l'église, ou même de faire une pause pendant un temps plus prolongé, pour sortir son mouchoir, le déplier, faire un grand bruit avec son nez pendant un considérable moment, et enfin le replier soigneuse-ment et le ranger de nouveau dans les plis de son surplis, avant de terminer sa phrase. Et malgré cela toujours il reprenait à l'endroit exact où il s'était arrêté, et ne répétait pas même une préposition dans ce qu'il avait déjà dit.

Il lui arrivait de temps à autre de laisser tomber des allusions dans ses sermons sur l'humidité de l'église, espérant peut-être que quelque confraternité lancerait une collecte pour un appareil de chauffage. Mais les membres de la confraternité pensaient que le froid de la chapelle et le courant d'air qui passait sous le portail mal fixé, et, oui, même le fait qu'on pouvait trouver une écharde dans son genou à tout instant provenant du bois pourri des bancs, que tout cela était source de souffrances nouvelles sur cette terre qui rehaussaient la beauté des âmes aux yeux de Notre-Seigneur.

La dernière chose à laquelle ils auraient songé aurait été l'installation d'une quelconque forme de confort dans l'église en béton, bien que fussent faites de vastes collectes à peu près tous les deux ans pour les bannières de soie avec des pompons dorés, pour les candélabres en cuivre, ou bien pour des mètres de ruban de confraternité avec des franges et des bordures en picot.

— C'est dommage, vous savez, disait le vieux prêtre, que le peuple irlandais ne fasse pas d'effort pour contrer le climat, parce que c'est un climat très malsain. Il est humide. Il est lourd. Il est, comme je viens de dire, très malsain de vivre à son contact.

C'était peut-être ces constantes références à la santé qui nous l'avaient fait l'associer aux païens de l'Europe du Sud, et éprouver une certaine sympathie pour lui, piégé dans un pays de brume, où la plupart des jours étaient sans soleil et où les nuits n'étaient jamais sans gel ou pluie. Souvent ma tante regardait au-dehors vers le ciel et soupirait.

— On dirait qu'il va pleuvoir, disait-elle. Pauvre Père Gogarty.
Un temps comme celui-ci ne lui vaut rien.

Et quand il venait faire sa visite, la conversation portait
principalement sur des caoutchoucs et des toits qui fuyaient et
sur l'utilité de la laine au contact de la peau. Il était diabétique.
Ma tante, bien sûr, éprouvait une grande sympathie pour lui,
mais cette sympathie n'aurait pas été plus grande que la mienne
si ce n'est qu'elle mettait délibérément son état délicat en avant
pour ajouter du mérite à sa vocation.

— C'est un martyr, disait-elle souvent, quand nous étions en
train de nous asseoir devant un repas particulièrement bien
préparé. Peux-tu imaginer n'avoir rien d'autre pour ton repas
qu'une assiette de choux ?

— Ou bien de la rhubarbe, disais-je, parce que en vérité
j'éprouvais de la pitié pour le vieil homme.

— La rhubarbe, ce n'est pas si mauvais, disait ma tante, versant
du beurre fondu sur son poisson.

— Sans sucre ? demandais-je.

— Sans sucre ? disait ma tante, levant la tête. Tu es sûre ?

— Naturellement j'en suis sûre. Les diabétiques ne peuvent
pas avoir de sucre quelle qu'en soit la forme. Ils ne peuvent
même pas avoir des petits pois, ou des haricots.

— Ce n'est pas possible ! J'ai toujours cru qu'ils pouvaient manger
n'importe quels légumes aussi longtemps que c'était un légume.

Et quand j'expliquais les différences entre certains légumes elle
écoutait attentivement, et en de tels moments elle semblait contente
de me voir faire l'université et d'acquérir un si grand savoir.

— Ne parlons pas du pauvre homme, finissait-elle par dire,
c'est un martyr, c'est la vérité. Comment nous autres pouvons
espérer mériter le paradis, c'est plus que je ne peux imaginer !

Et à ce moment, elle faisait revenir Ellen, la domestique,
avant qu'elle se retire derrière le paravent de service, pour lui
demander si le soufflé au fromage était reparti en cuisine.

— Non ? Bien ! Il me semble que je pourrais m'autoriser un peu plus. Il est si bon aujourd'hui, et puis, tandis qu'elle raclait le bord de l'assiette en argent, et regardait de côté vers moi pour demander si j'étais certaine, absolument certaine que je n'en prendrais pas encore une cuillerée, elle envoyait un message à la cuisine :

— Mes compliments à la cuisinière, criait-elle.

S'il se trouvait que le vieux curé nous rendît visite, comme il le faisait de temps à autre, après une conversation de ce genre nous sortions toutes les deux dans le jardin avec lui et nous nous promenions le long des sentiers détrempés, le poussant à prendre une autre tête de crambe, ou écartant les boucles vertes des choux-fleurs pour voir si la moindre petite tête s'y était formée, pour que cela puisse le changer de ce qu'il appelait le Choux éternel. Père Gogarty était fourni en légumes par le moindre petit lopin de la paroisse, mais ma tante faisait en sorte qu'il ait des variétés qui étaient plus difficiles à cultiver, et qu'il était improbable qu'il aurait ailleurs.

Pendant cette journée de septembre dont je viens de parler, lorsqu'il avait montré une si grande sollicitude pour notre laitue, le temps était absolument épouvantable, et de tous les endroits sur terre à même de vous faire sentir le désagrément de la pluie je pense qu'un jardin est le pire. Les asters eux-mêmes attristeraient le cœur le plus résolu. Ils s'inclinaient à terre à cause de la pluie et leurs pétales hérissés de bleu, de rose et de pourpre traînaient tristement dans la boue qui laissait des traces partout sur eux. Tout en faisant lentement le tour du jardin, imprimant sur le sentier les traces de nos pas, nous laissions dans notre sillage de grands tas de légumes, laitues ici, épinard là, pour qu'ils soient ramassés par le jardinier et déposés dans l'auto du prêtre.

Le jardinier épousait notre sympathie pour le vieil homme et lorsque ma tante commandait des graines du catalogue qu'on lui envoyait chaque année de la ville, il se mettait souvent à suggérer quelques légumes que pour notre part nous n'aimions pas particulièrement.

— Pourquoi proposez-vous cela ? criait ma tante avec impulsivité, mais presque toujours elle se reprenait rapidement, avant de laisser le temps au jardinier d'expliquer que le vieil homme en était friand.

— Vous avez tout à fait raison, Mike. Je suis contente que vous me l'ayez rappelé. Plantez un grand carré de cela aussi. Et je pense que nous pourrions planter davantage d'épinards cette année. Un peu avant la fin de l'année dernière nous n'en avions presque plus.

Le jardinier nourrissait une grande affection pour Père Gogarty, et quand le vieil homme venait ils faisaient toujours une causette.

— Nous devons maintenir la vieille machine en état de marche, Mike. N'est-ce pas vrai ? disait Père Gogarty.

— C'est vrai, Père, disait Mike. Surveillez votre santé. C'est la seule chose qui vous restera en fin de course.

— Peut-être vous devriez mettre un peu plus de ces choux, disait Père Gogarty. Et au fait, pendant que j'y pense, j'essaie depuis un bon bout de temps de garder à l'esprit de vous demander quelque chose, Mike !

— Certainement, Père. N'importe quoi que je peux vous dire.

— C'est à propos de la laitue. Je me demande, Mike, s'il y a moyen de garder fraîche la laitue. Ma gouvernante dit qu'elle doit être conservée à l'abri de l'air, mais j'ai remarqué qu'elle devient toute sèche si vous faites ça. J'ai entendu d'autres gens dire qu'ils la mettent dans l'eau, mais si on le fait, il me semble qu'elle devient jaune et molle. J'ai pensé que peut-être vous pourriez connaître quelque système pour la conserver fraîche. Alors vous avez une idée ?

— Je ne peux pas dire que j'en ai une, Père, mais pourquoi est-ce que vous vous donnez la peine d'essayer de la conserver, vous ne pouvez pas en avoir toujours un peu de fraîche d'ici, à n'importe quel moment vous voulez ? Quel besoin d'essayer de la garder ? Il y en a toujours assez ici.

Mike parlait pour lui, mais il regardait au-dessus de l'épaule du prêtre en parlant et causait fort pour que ma tante l'entende. En de tels moments elle faisait oui de sa tête.

— Vous travaillez pour une femme charitable, Mike. Il n'y en a pas beaucoup comme elle qu'on trouve ces jours-ci. Elle nous gâte tous. Elle nous gâte tous. Le vieil homme soupirait :

— Je suppose que ce n'est pas bien pour moi de la laisser me gâter comme ça. Eh, Mike ?

— Ah ! Pourquoi est-ce vous ne vous feriez pas gâter, Père ? Elle aime beaucoup vous donner ces quelques pauvres légumes !

— Je peux m'en rendre compte. Est-ce que ce n'est pas une chose merveilleuse que les femmes irlandaises soient si bonnes pour le clergé ?

— Pourquoi ne le seraient-elles pas, Père ? Qu'est-ce qu'on ferait sans le clergé ?

— Sans doute avez-vous raison, Mike, mais quelquefois je me dis que je ne devrais pas m'occuper ainsi de moi-même, un vieil homme comme moi. « Je vais m'asseoir et manger un bout de steak ce soir », je me dis quelquefois — « quoi de mal si ça me tue, ne suis-je pas vers la fin, de toute façon ! » Et puis je me dis que c'est le devoir de chacun de conserver le peu de vie qui demeure en lui, quoi qu'il arrive, et de l'empêcher de s'éteindre avant la toute dernière minute.

— Vous n'avez pas besoin de parler de mourir, Père. Je ne vous ai jamais vu meilleure mine.

— N'y allez pas de votre flatterie, Mike, disait-il pour arrondir la conversation, sortant de la serre à l'endroit où ma tante et moi l'attendions. Ma tante sentait que les quelques mots que le prêtre échangeait avec n'importe qui, homme ou femme, dans sa propriété faisaient partie d'une certaine manière de ses devoirs de prêtre, et elle ne cherchait jamais à l'interrompre.

— Laisse-le échanger quelques mots avec Mike, me disait-elle, et elle se tenait occupée jusqu'à ce qu'il sorte de la serre, secouant l'argile des têtes de laitues, ou donnant une chiquenaude de son long index pour en chasser les limaces.

La fin des conversations avec Mike, qui toutes étaient remarquablement semblables, avaient lieu moitié à l'intérieur et moitié à l'extérieur de la serre.

— C'est le devoir de tout le monde de continuer son chemin jusqu'à la toute dernière minute, n'est-ce pas vrai, Mike ?

— C'est vrai, Père. Nous devrions essayer de préserver le peu de santé que nous avons. Je l'ai toujours entendu dire.

— C'est vrai ? Je suis content d'entendre ça, Mike. Et puis je dois m'en souvenir.

Oui, les conversations étaient toutes semblables, presque mot pour mot semblables à l'occasion de chaque visite qu'il faisait. Mais lors de ce jour particulier dont je parle, le jour de pluie et des fuchsias qui traînaient dans la boue, Père Gogarty s'arrêta et se retourna tout d'un coup vers Mike, qui était en train de saisir un arrosoir et d'entrer dans la serre.

— Est-ce que vous ne venez pas de la région de Mullingar, Mike ? dit-il.

— Je suis à trois miles de l'autre côté, Père.

— C'est ce que je pensais, vous savez ! Est-ce que vous avez connu un jeune fermier là-bas du nom de Molloy ?

— En effet, Père. Je le connaissais bien, Père.

— J'ai entendu dire qu'il est mort, le pauvre gars, dit Père Gogarty.

— Allez, je suis désolé d'entendre cela. C'était un gars costaud et bien, si je me souviens correctement.

— Un grand gars aux larges épaules ? dit le prêtre.

— Oui, dit Mike. C'est ça, un grand gars aux larges épaules.

— Avec des cheveux qui tiraient sur le roux ?

— Avec des cheveux roux, c'est ça.

— Autour de vingt-cinq ans d'âge ?

— C'est bien lui, dit Mike.

— Oui, ça serait lui, pour sûr, dit Père Gogarty. Eh bien, il est mort.

— Est-ce que c'est bien vrai ? dit Mike et il posa l'arrosoir à terre. Cela ne fait que montrer qu'on ne peut jamais savoir le jour et l'heure. C'est bien ça, Père ?

Mike secoua sa tête. Père Gogarty sortit de la serre et nous rejoignit sur le gravier mouillé.

— Je vous ai entendu comme vous causiez avec Mike, Père, dit ma tante avec compassion. Je vous ai entendu parler d'un jeune homme qui est mort. J'espère que ce n'était pas l'un de vos parents ?

— Non, dit Père Gogarty. Non, mais ce fut une très triste affaire.

Il bougea sa tête avec tristesse, et puis il devint de meilleure humeur.

— Vous savez, dit-il brusquement, je suis un homme qui a de la chance dans la mesure où ce n'est pas moi qui suis sous le gazon à cette heure à sa place.

— Que Dieu soit entre nous et tout malheur ! dit ma tante. Racontez-nous cela, vite.

— Il me semble que vous m'avez souvent entendu parler de ma nièce Lottie, dit Père Gogarty. Elle est la fille de ma soeur, vous savez, et elle vient me voir de temps en temps. Plus ou moins tous les six mois. Elle est infirmière là-bas à Dublin. Eh bien, de toute façon, pour vous parler du jeune homme qui est mort, Lottie s'était fiancée il y a quelques semaines avec ce jeune homme de Mullingar. Ils avaient l'intention de se marier le mois prochain.

— Oh, que c'est tragique ! dit ma tante.

— Attendez pour savoir, dit le prêtre, regardant derrière lui afin de s'assurer que Mike venait derrière nous avec le panier de légumes à déposer dans l'auto. Comme je disais, de toute façon, poursuivit-il, ils avaient l'intention de se marier le mois prochain, et Lottie n'allait pas être satisfaite si je ne le voyais pas avant le mariage. Elle a écrit pour dire qu'elle me l'amenait ici. Je pense qu'elle avait aussi un œil sur le cadeau de mariage, vous savez, mais de toute façon, je les attendais jeudi dernier, et j'ai dit à ma gouvernante de préparer un peu de déjeuner pour eux, de trouver un peu de viande et autre, ainsi que cette saleté de choux et de rhubarbe que je dois manger. Je lui ai dit de penser à un peu de dessert pour eux aussi. C'est une brave femme, cette gouvernante que j'ai, et c'est une très bonne cuisinière ; non pas qu'elle ait beaucoup d'exigence à faire la cuisine pour moi et l'état de santé que j'ai ! Mais en fin de compte elle a préparé un bon déjeuner. Les odeurs m'ont presque rendu fou. Et quand je l'ai vue le lendemain le jetant dans le seau du cochon j'aurais pu pleurer. J'aurais pu. C'est un fait.

— Est-ce qu'ils ne sont pas venus ?

— Ils sont venus, en effet, mais attendez de savoir. Il semble qu'il avait un rhume sur lui depuis un ou deux jours ; et venant ici dans la voiture il a dû attraper un refroidissement, parce que le gars n'était pas capable de parler quand ils sont arrivés à la porte. La voiture était une vieille affaire délabrée. On ne s'étonnerait pas que n'importe quoi pourrait arriver à quelqu'un dedans. Je ne monterais pas dedans pour descendre l'allée et encore moins pour le voyage qu'ils ont fait. La nièce était bouleversée et elle s'agitait près de lui comme s'ils étaient mariés depuis quinze ans. Du thé, c'est ce qu'elle voulait pour lui, s'il vous plaît ; tout de suite.

— Ne songez pas au déjeuner, elle dit, il ne pourrait pas garder un morceau de nourriture.

« Des oreillers, elle voulait pour lui, s'il vous plaît. Trouvez-lui un oreiller alors, si vous n'avez pas de coussins ! elle dit à la gouvernante, la poussant de côté et se dirigeant vers le buffet et l'ouvrant largement.

— Est-ce qu'il y a une goutte de cognac ici ? elle dit ou bien où est-ce que je peux le chercher ? Je veux lui frictionner la poitrine.

« J'étais assez dégoûté de cette agitation à ce moment-là, Ma'am, comme vous pouvez l'imaginer, et je lui ai donné comme avis que la meilleure chose qu'elle pouvait faire serait de le ramener à Dublin aussi rapidement qu'elle pourrait, où on pourrait lui donner les soins nécessaires.

— Mais le voyage de retour ? dit Lottie, et j'ai vu tout de suite ce qu'elle avait dans la tête.

« — Le mal est déjà fait, je lui ai dit. Une heure de plus ou de moins ne fera pas de différence. Un lit étranger pourrait être sa mort. Enrobez-le pour qu'il ait chaud, j'ai dit, je vais vous prêter mon pardessus. C'était mon grand manteau de ratine, Ma'am, vous savez lequel. C'était un bon manteau chaud. Mais Lottie ne tenait pas en place. Elle ne savait pas ce qu'il convenait le mieux de faire, elle dit. Moi je devenais assez mal à l'aise à ce moment, je n'ai pas besoin de vous le dire. Que diable est-ce que j'aurais fait s'ils avaient insisté pour rester ? La maison entière aurait été mise sens dessus dessous. Il y avait seulement une bouillotte. Où est-ce que j'aurais trouvé assez de couvertures pour recouvrir un grand gars comme ça ? Il n'y a qu'une femme pour tout faire et et c'est tout ce qu'elle peut faire de s'occuper de moi. Je ne pouvais pas supporter l'agitation. Il y aurait des montées et des descentes dans l'escalier toute la nuit. Il y aurait du bruit. Il y aurait des gens parlant à toute heure. Le médecin serait là. Il faudrait un repas pour le médecin. Oh, je pouvais tout voir ! Je pouvais tout voir ! Je dois prendre garde à mon âge, vous savez, je dois tout avoir régulier. Je dois avoir du calme.

« — Si vous savez ce qui est la chose à faire, j'ai dit à Lottie, vous allez prendre cet homme directement en retour à l'endroit d'où il vient, et obtenir de bons soins médicaux pour lui, et tandis que je disais cela, j'étais en train de penser que si quelqu'un savait ce qui convenait et ce qui ne convenait pas, cela devait être elle, avec sa formation à hôpital. Et, bien sûr, elle a réagi tout de suite :

— Je vous dis ce que je vais faire, elle dit. Je vais prendre sa température, et s'il n'a pas de fièvre, je le ramènerai à la ville et téléphonerai à l'hôpital. S'il a de la fièvre, bien sûr, ce serait de la folie d'entreprendre le voyage de retour. Je suppose que le médecin ici est compétent ?

« Elle tirait les tiroirs du bureau tandis qu'elle parlait, cherchant le thermomètre, je pense.

— Où est-ce que vous mettez le thermomètre ? elle dit, se retournant pour me regarder.

— Je n'en ai pas, j'ai dit, mais elle ne m'écoutait pas.

— Son front est très chaud, n'est-ce pas ? elle dit.

— Pourquoi est-ce qu'il ne serait pas très chaud ? j'ai dit, avec votre main dessus.

Et le pauvre gars lui-même n'a pas vu la plaisanterie, pas plus qu'elle, tant il était malade.

— Où dites-vous que le thermomètre se trouve ? elle dit de nouveau.

« J'ai dit que je n'avais pas une telle chose, c'est ce que j'ai dit, et elle était si contrariée qu'elle pouvait à peine parler.

— Chaque maison devrait avoir un thermomètre, elle dit, c'est vraiment une honte de ne pas en avoir.

« Mais elle a commencé à ramasser des plaids et des oreillers tout en me parlant.

— Puisque vous n'en avez pas un, je pense que je ne devrais pas gaspiller davantage de temps, mais préparer son retour en ville.

Elle est allée auprès du pauvre gars.

— Est-ce que tu te sens en état pour le voyage de retour ? elle a demandé, prenant son pouls et fronçant les sourcils.

— Je vais bien, il a dit.

C'était un gentil garçon, ne voulant pas causer de problèmes ; et différent d'elle tout à fait.

— Nous viendrons un autre jour, Père, dit Lottie. J'espère que vous n'avez pas préparé un tas de choses pour nous ?

— J'en préparerai de plus importantes la prochaine fois, j'ai dit, juste pour égayer le pauvre gars qu'elle enveloppait de plaids et de couvertures à l'arrière de la voiture.

Je voulais l'égayer parce que je pensais plus ou moins qu'il était en pire état qu'elle pensait qu'il était.

— Je vous enverrai un thermomètre, elle a crié en se retournant vers moi tandis qu'elle descendait l'allée. Tout le monde devrait avoir un thermomètre. »

— Elle avait raison, intervint brusquement ma tante à ce moment, et je pouvais voir qu'elle se demandait si elle n'en avait pas un deuxième dans la maison qu'elle pourrait lui donner.

— Je sais qu'elle avait raison, Ma'am. Mais tout ce que je peux dire c'est que j'espère qu'elle ne va pas m'en envoyer un. Vous ne pensez pas qu'un homme comme moi se trouverait sans une chose si nécessaire qu'un thermomètre, n'est-ce pas ?

Il nous regarda sévèrement.

— Vous en aviez un tout le temps ? demanda ma tante, de façon hésitante.

— Trois ! dit-il. J'en avais trois, pas moins que trois, mais je n'allais pas lui laissser croire que j'en avais.

Sur son visage une ruse ancienne avait dessiné des lignes qui se croisaient.

— Est-ce que je ne savais pas en sentant la main du gars qu'il avait de la température, mais je n'allais pas me laisser à l'avoir alité là dans le presbytère pendant deux semaines, comme il l'aurait été, vous savez, avec une pneumonie.

— Pneumonie ?

— C'est ça, Ma'am. Il avait une pneumonie. Double pneumonie, je dirais. Il était mort le soir suivant. J'ai regretté beaucoup pour le pauvre gars. C'était un gentil garçon. J'ai vraiment beaucoup regretté pour lui. Je ne peux pas dire que j'ai regretté pour ma nièce. C'était une chose pas du tout considérée, je pense que vous serez d'accord, Ma'am, de venir rendre visite à quelqu'un et ayant amené un homme qui n'était pas capable de tenir sur ses pieds avec un rhume ? Les gens de nos jours n'ont pas de prévenance du tout ; c'est bien la vérité ; pas de prévenance. J'ai fait envoyer à la pharmacie pour faire monter une bouteille d'un puissant désinfectant pour répandre sur les tapis après leur départ. On ne peut pas se permettre de prendre des risques. J'estime que je suis un homme très chanceux d'être en vie aujourd'hui, un homme avec mon état de santé serait parti en un clin d'œil si j'avais dû supporter le fardeau d'un jeune gars comme lui dans la maison, peut-être pour un mois. De toute manière il aurait même pu mourir chez moi, on ne sait jamais, même s'il n'avait pas eu le voyage de retour, et alors pensez à l'embarras ! Je serais dans la tombe à côté de lui. Il n'y a pas du tout de doute dans mon esprit sur ce point-là.

Il se redressa.

— Voilà Mike avec les légumes, dit-il. Mettez les salades sur le siège avant, Mike, je ne veux pas qu'elles soient écrasées. Mangez beaucoup de laitues, me dit le médecin à chacune de ses visites.

Il nous serra les mains.

— Je deviens trop vieux pour baguenauder en voiture, dit-il, nous souriant par la vitre de l'auto, avant de tourner et de s'en aller dans l'allée.

— Je vais faire une promenade, ai-je dit à ma tante. Je serai de retour pour dîner.

Je pensais qu'il fallait mieux en dire le moins possible.

Et quand je fus de retour de ma promenade, j'avais en effet tout oublié de l'incident. La soirée avait été très douce et parfumée après la pluie récente. On oublie tout en se promenant le long des routes et en écoutant les lourdes gouttes tomber des arbres sur les feuilles mortes dans le bois, avec au-dessus de soi un ciel brillant, bleu et sans nuage. Quand je fus de retour j'avais faim. J'anticipais avec plaisir mon dîner. Quand Ellen entra avec un plein saladier j'espérais que ma tante n'en prendrait pas trop parce que je sentais que je pouvais manger le saladier entier. Mais que croyez-vous ? Avant que la fille ait eu le temps de déposer le saladier devant nous, ma tante la houspilla et frappa du poing sur la table.

— Enlevez cette laitue, dit-elle. On n'en veut pas ce soir.

J'allais protester quand je saisis son regard, et me tins coite. Nous ne parlâmes pas de cette histoire du grand fermier à cheveux roux à ce moment-là ou par la suite, mais est-ce que ce n'est pas drôle, j'entretiens de meilleurs rapports avec ma tante depuis ce jour. On s'entend mieux. Et moins de conflits nous opposent au sujet de livres et de la politique et d'une chose ou une autre.

Extrait de *The Long Ago and Other Stories*.

JAMES PLUNKETT

Classe ouvrière

Ce fut à trois heures du matin ce jour-là que Joey sut que son père était mort. Pendant quatre mois entiers à partir de la chaleur de juillet jusqu'à la lente venue de la fraîcheur d'octobre sa mère et sa sœur avaient veillé le malade, et quelquefois lui-même avait assuré un tour de garde la nuit. Il le sut quand il se réveilla trouvant les ténèbres autour de lui, frissonnant d'effroi, entendant les pleurs apitoyés de sa sœur de l'autre côté de la cloison de bois séparant sa chambre de la leur. Il s'était habillé à la hâte, la gorge sèche et nouée par peur de la mort, et s'était rendu dans la pièce. Elle était lourde des relents de la vie, et jaune de la lumière de la lampe. Déjà la maison était animée, les portes s'ouvrant doucement en grinçant et les planchers résonnant du pas lourd de gens à moitié réveillés. Quand sa mère le vit elle éclata en violents sanglots. Elle se mit à battre ses deux mains l'une contre l'autre à la façon des commerçants dans les rues quand ils se disputent, tandis que ses cheveux qu'elle avait défaits se déroulaient de chaque côté de son visage.

— Regarde ton pauvre père, doux Jésus, prends pitié de lui ! Il s'en est allé! Il s'en est allé! Il s'en est allé!

Son violent chagrin et ses cris mirent à vif ses nerfs tendus.

— Ô la douleur cette nuit mon pauvre garçon et ton doux père froid et mort. Une douleur cette nuit et lui froid et raide. Une douleur douleur douleur…

Il se figea jusqu'à ce qu'elle cesse ses lamentations. Alors il s'approcha et passa ses bras autour d'elle et de sa sœur, et sentit le réconfort que dans leur désespoir elles réclamaient si fort se frayer un passage pour aller lentement de son corps jusqu'aux leurs, leurs larmes brûlantes sur ses mains et sur sa gorge. Son cerveau avait cessé de fonctionner à la vue de la chose tordue sur le lit, et il ne pouvait pas leur parler, mais il caressait leurs têtes et leur prodiguait sa tendresse et répétait sans désemparer :

— Du calme maintenant, un peu de calme, allons, allons.

Peu à peu répondant aux gestes de ses mains et à la mélodie instinctive de sa voix, elles finirent par se calmer et leur respiration se ralentit et devint tranquille. Alors Mme Nolan entra d'un pas traînant, exhalant l'âge et le tabac à priser, son visage jaunâtre marqué de rides de crasse encadré du châle noir qu'elle avait drapé autour de sa tête. Elle rejeta d'un geste son châle et leva en l'air ses bras pour dessiner une croix grossière. Elle resta un moment dans cette attitude tout en murmurant des paroles de sympathie. Elle traversa la pièce et prit en charge la situation. C'était une occupation qui lui était devenue habituelle depuis que son propre mari était mort il y avait plus de vingt ans.

C'était le soir maintenant. Son père était étendu et habillé, avec un chapelet enroulé autour de ses mains jointes — c'était le soir maintenant et une atmosphère funèbre régnait dans la pièce. Joey restait assis bien droit et sage dans son coin préféré, son petit corps maigre et enfantin malgré ses trente ans, son costume bien entretenu, montrant l'usure et des taches de graisse dans la lumière de la lampe, le visage dur et fixe mais ne trahissant pas d'émotion. La pièce était remplie de gens, mais personne ne faisait attention à lui. Quand ils entraient ils disaient :

— Je suis désolé pour votre chagrin, Mme Byrne. Et c'est sûr, pauvre Mary, que ton père va te manquer », et puis comme après coup ils ajoutaient « et à Joey. »

Puis ils se mirent à causer avec Mary ou avec l'un des voisins et faisaient semblant d'être étonnés lorsque un verre était poussé dans leur main.

L'air était lourd du relent de tabac et de l'odeur aigre-douce de bougies et de cadavre. Sa mère était assise près du lit, les yeux fixes songeant aux années qui s'étaient écoulées. Ses doigts boudinés se déplaçaient légèrement de gauche à droite au rythme de ses rosaires qu'elle murmurait interminablement, les grains du chapelet passant de façon mécanique entre ses doigts rougis et rugueux de travail. Affairée, affichant une supériorité dans sa robe noire de deuil, Mary marquait de la distance à l'égard des voisins dont elle s'occupait à l'exception de Tom Keegan, qui était le secrétaire du Syndicat de son père. Déjà elle semblait plus indépendante, davantage la jeune dame de la maison, parce qu'il n'y avait que son père qui, d'un seul geste, aurait pu la remettre à sa place, mettant à mal en les raillant ses idées de gandeur.

Ils étaient tous à parler et à rire tandis qu'ils buvaient, seule sa mère était restée à l'écart. Quelque chose dans son attitude parlait à Joey, mais pour l'heure il était incapable de deviner quoi. Ted Byrne, qui maintes fois avait évité le chômage grâce à son père, pressait son copain Foley de chanter. Toucher Flynn, un chapeau melon repoussé en arrière sur sa tête, son visage en sueur mangé par son nez bulbeux, sa grosse moustache luisante et son pantalon de velours taché par la bière qu'il était en train de lapper, allait de temps à autre donner un coup de coude à Bridie McGovern et chuchotait à son oreille, Bridie qui n'aurait jamais touché sa pension entière de veuve sans son père. Ils étaient tous redevables de quelque chose à son père. Tous ils étaient venus chez son père quand ils s'étaient trouvés en difficulté. Parce que pendant un temps il avait été l'un des piliers du Syndicat ils s'étaient dit qu'ils pouvaient venir l'embêter sous le prétexte de n'importe quel imbécile petit problème qu'ils étaient trop paresseux pour résoudre par eux-mêmes. Mais maintenant c'était le soir et son père était mort, et pas un seul d'entre eux n'en avait cure. Ils étaient ivres et voulaient s'amuser. Toucher eut un gargouillis dans sa gorge et donna une tape dans le dos de Rat Foley.

— Allez, se mit-il à crier, allez, en enfer, Rat. Chante !

Il montra le mort du pouce :

— Voilà un homme qui pouvait pousser Rat à chanter.

Il souleva son chapeau avec solennité.

— C'est-y pas vrai, Rat ? — sacrebleu, Rat, mais t'as merveilleusement chanté et de toutes tes forces quand il t'a tiré de Dowling en 1913. Mais alors t'as merveilleusement chanté et de toutes tes forces, hein, mon gars !

Tout le monde s'esclaffa en se rappelant la façon dont l'homme décédé avait cette nuit-là rossé Rat jusqu'à le faire hurler parce que celui-ci s'était plaint de crever de faim à cause de la grève. Une seconde les petits yeux de Rat brillèrent avec malice. Puis il demeura indécis.

— Eh bien, M. Flynn, si vous le voulez vraiment, si l'assemblée ici…

— L'Homme…, Rat.

— Quelques portées…

— Quatre-vingt-dix-huit, Rat.

— En éternel souvenir des morts…

— Du calme, du calme, laissez-le chanter.

Un bruit traînant de chaises, des crachements, reniflements, toussotements, le brouhaha s'éteignit et la voix de Rat rompit le silence envahi par la fumée, l'odeur et la chaleur :

« Qui craint de parler de Quatre-vingt-dix-huit
Qui rougit à ce nom. »

Ses yeux brillants, son visage mince et pâle suintant et levé en l'air, sa petite bouche béante, un tremblement d'émotion gagna la pièce.

« Mais *a vaincu* des hommes comme vous *autres.* »

Toucher avait traversé la pièce et se penchait sur Joey. Il lui tapota l'épaule.

— Ah, Joey fils, mais pour sûr qu'il te manquera ton père. Ton père était un homme, Joey, un patriote, c'est ça qu'était ton père. On n'avait jamais vu un homme comme lui avant.

Son haleine était aigre sur le visage de Joey :

— Un pote, voilà c'qu'était ton père, mon meilleur pote. Fier et sauvage et aimant bien son verre — ah, ça ne fait pas de mal, Joey — un merveilleux descendeur, voilà c'qu'il était, avec un grand cœur pour les pauvres et ceux qui ont connu des malheurs. V'là un père dont on peut être fier, Joey fils, v'là un pote pour toi.

Sa bouche était un bâillement de molaires jaunâtres.

— « Dan, y me disait, t'es un fidèle vieux soldat, Dan, qui m'as soutenu jusqu'à la fin pendant les troubles de l'année Treize, et tu me suivrais jusqu'au tombeau. » Et je l'aurais fait, Joey, je l'aurais fait. Oui, et au-delà, Joey. Voilà c'qu'est le pauvre Dan Flynn.

La chanson lentement mourut dans la pièce qui s'anima d'applaudissements. Ce fut une scène de tumulte, d'odeurs de fumée de tabac, de bougies âcres, de visages huileux. Mary et Tom Keegan s'étaient mis à chuchoter. Sa mère immobile et étrangement impassible. Son attirance pour son mari avait frémi dans leur lit de mariage et s'était éteinte dans l'amertume de beuveries sauvages et de discordes ouvrières. Joey n'avait jamais pensé cela auparavant mais maintenant il savait. Il y avait une autre pensée qui le troublait, mais dont le sens lui échappait. Elle avait un rapport avec son père. Il essaya de l'élucider. Il se concentra avec force sur le souvenir de son père. Et toujours la pensée lui échappait. Toucher avait titubé à travers la pièce, essuyait une larme sur son visage, se balançait d'avant en arrière et parlait au cadavre.

— Michael, vieux fils, c'est comme ça que ça s'termine ? C'est comme ça qu'ça va de ton côté, camarade de ma jeunesse ? Amis de cœur, c'est c'qu'on était Michael, mon vieux, amis de cœur.

Sa voix dévida une chanson d'ivrogne :

— Camarades, camarades, depuis que nous étions… Allons en enfer, Rat. Chante. Encore une pour nous.

Ses yeux étaient injectés de sang. Ils fixaient l'assemblée.

— Allez, applaudissez Rat, un p'tit encouragement pour Rat.

Il fit une large grimace dans le vide. Sa bouche tomba ouverte.

— Sacredieu, dit-il, et il revint à Joey.

Rat se mit à chanter de nouveau…

Plus tard, alors qu'ils revenaient de la chapelle Toucher dit :

— C'est le début d'un long voyage pour ton papa, Joey. Par Dieu, c'est la première fois en vingt ans qu'il a été dans une chapelle, et encore vous avez dû l'apporter là. Par Dieu !

Joey resta de glace et silencieux. Il les avait observés quand le cercueil était arrivé, leur air honteux en se faufilant dans la pièce quand son père avait été conduit du lit au cercueil. Il avait entendu le cri de sa mère quand le premier tapotement sourd avait enfoncé la première vis dans le trou. Mais elle n'avait pas crié à cause de son père, c'était simplement à cause de l'horreur de la mort. Parce qu'il aimait son père et qu'il avait brusquement conscience du vide qu'il allait créer, son propre cœur fit une ruade et quelque chose lui noua la gorge. Il entendit les autres qui suivaient quand on le descendit, et entendit Toucher dire comme un diable d'ivrogne qu'il était :

— Sacredieu, Michael, je t'avais vu avec une boîte en fer avant, mais pas encore dans une boîte en bois.

Cela fit ricaner quelques-uns, mais pas ouvertement. C'était le ricanement de leurs filles dans une salle de cinéma quand le mot bébé est prononcé. Dans la chapelle de nouveau ils pleurnichèrent et furent tristes et prièrent pour l'âme qu'au fond d'eux-mêmes ils tenaient pour damnée, et puis ils se dispersèrent et plus tard ils reviendraient l'un après l'autre boire et chanter et être joyeux.

Entre-temps Toucher avait montré de l'impatience devant le mutisme de Joey.

— Oh, Joey, mais t'es terriblement silencieux. On penserait que tu t'en foutais de ton pauvre père. Écoute — on va boire un verre pour nous égayer, t'es d'accord ?

— Non, dit Joey.

Sa voix était lasse.

— Non, Dan.

— Oh, Joey. T'es un type bizarre. Pas comme ton père. T'as pas ses tripes, non, ni ses sentiments pour le travailleur.

— Mon père était un imbécile de se casser la tête pour tous ces pouilleux.

— Oh, Joey, t'es retourné, sinon tu parlerais pas comme ça.

Joey haussa les épaules. Son père avait passé sa vie à se décarcasser pour eux, et eux en retour ils avaient fait de sa vie un enfer. Son père était un grand homme qui avait gaspillé sa grandeur pour eux. Son père avait eu de la cervelle et leurs fourberies l'avaient volée et exploitée. Ils s'étaient servi de lui et puis ne l'avaient pas soutenu. Les yeux de Toucher devinrent tout d'un coup brillants de ruse.

— Joey, fils, dit-il, j'ai rien dit jusqu'à présent, mais ton père me devait quelque chose, eh bien, pas beaucoup, juste un peu… euh….

— Combien ?

— Eh bien, Joey...

Toucher le regarda d'une façon incertaine, ses mains s'agitant un peu.

— C'était trois shillings, Joey. Juste une petite dette.

Joey avait cinq shillings dans sa poche, deux pièces de deux shillings et une pièce de un shilling. Il sortit l'argent et donna à Toucher un shilling et une pièce de deux shillings. Il ne dit rien. Toucher se fit mielleux.

— Oh, merci, Joey, mon vieux fils. J'suis pas une personne à parler de ces choses, mais les temps sont durs et, eh bien, tu sais comment c'est, Joey...

Pris d'un dégoût soudain, Joey se détourna.

— Pour l'amour de Dieu va-t'en, Toucher ! dit-il. Tu m'écœures.

Il se précipita au-dehors. Il s'arrêta quand il eut atteint le mur qui longeait le fleuve et s'y appuya ses coudes, regardant le frissonnement de la fine pluie sur les limbes noirâtres du courant. Il commença à se souvenir de certaines choses. De petites scènes de sa jeunesse, des lambeaux de conversations, des choses et d'autres qui étaient presque oubliées. Il se rappela comment son père avait cherché à lui passer le relais et comment finalement il avait dit avec tristesse et avec lassitude :

— Très bien, fils, tu ne t'intéresses pas au syndicalisme ni à la classe ouvrière ni à cette fichue liberté des petites nations. Tu colles juste à ta plâtrerie et à ton bon sens commun. Tu n'es pas fait pour ces questions de mouvements et peut-être que c'est aussi bien. Quelquefois je ne suis pas sûr qu'elles en valent la peine.

C'est ce que son père avait dit et maintenant son père était mort.

Une femme ivre portant un châle s'approchait de lui. Elle se frotta à lui, le fixa bêtement pendant un moment, balbutia et puis s'en alla. Quand elle fut partie il se cacha le visage

de ses mains. Il pleurait, mais pas seulement pour son père.
Il pleurait pour le vide que son père avait laissé, pour une
femme ivre, pour lui-même, et pour tout un peuple perdu.

Extrait des *Collected Short Stories.*

WILLIAM TREVOR

Le champ de Kathleen

— Je voudrais acheter un champ, monsieur.

Hagerty avait adopté, pour s'adresser à l'employé de banque, un ton modeste, circonspect et prudent. Il savait que M. Ensor s'était mis à deviner ce qui suivrait. Il était bien conscient de présenter un risque, un mot que M. Ensor avait utilisé par deux fois quand il avait voulu faire dériver la conversation sur les découverts que Hagerty avait déjà à la banque.

— Je me demandais, monsieur…

Sa voix faiblit quand M. Ensor commença à faire non de la tête. Il aurait aimé dire oui, assura l'employé de la banque. Il aurait dit oui à l'instant même mais quelle aurait été l'utilité quand la direction ne serait pas d'accord ? « Les temps sont durs, M. Hagerty. »

C'était un lundi matin en 1948. Se penchant sur le comptoir, sa main droite toujours agrippée au bâton qu'il avait pris pour mener les trois bœufs de sa ferme située à sept miles de là, Hagerty concéda qu'il n'avait jamais connu des temps aussi durs. Il avait conduit les bœufs en ville pour voir s'il ne pouvait pas en avoir une somme, mais il n'avait pas réussi. Tout le temps du trajet il avait songé au champ que le vieux Lally avait passé sa vie à débarrasser de ses pierres. La veuve que le vieil homme avait laissée derrière lui avait vendu les dix-neuf acres sur le versant opposé de la colline, mais le champ qui lui restait n'était bien situé pour personne sauf pour Hagerty. Tous deux savaient que ce serait commode pour lui de l'avoir ; tous deux savaient que le profit serait presque aussi grand avec cette unique pâture qu'avec toute la terre qu'il avait déjà. En pente douce, naturellement drainé, il était dépourvu de mauvaises herbes et de chardons, et l'herbe qui y poussait faisait du bien à qui la regardait. Le vieux Lally s'était aperçu de sa valeur au moment même où il en avait hérité. Il n'avait cessé de curer les fossés, et ses barrières et ses murets de pierres avaient toujours été entretenus. Et sur des miles alentour, personne n'avait jamais aussi bien enlevé les pierres que le vieux Lally.

— Je vous aiderais si c'était en mon pouvoir, M. Hagerty, l'assura l'employé de banque, mais voilà il y a encore une certaine somme qui reste due.

— Je sais qu'il y en a, monsieur.

Chaque décembre Hagerty faisait son entrée dans la banque avec une dinde qu'il avait plumée comme témoignage saisonnier de sa gratitude : le découvert courait maintenant depuis dix-sept ans sans problème particulier. Il était moins important qu'il ne l'avait été dans le passé, mais Hagerty n'était plus jeune et sa dette pourrait toujours passer aux profits et pertes. Il n'avait pas eu beaucoup d'espoir en mettant en avant la question du champ qu'il convoitait.

— Je suis désolé, M. Hagerty, dit l'employé de la banque, tendant sa main à travers le comptoir. Je connais bien ce champ. Je sais que vous pourriez en tirer quelque chose, mais c'est ainsi.

— Eh bien, vous avez bien voulu examiner la chose, monsieur.

Il dit cela parce que c'était une manière de rendre plus aisées les choses à un homme qui dans le passé lui avait prêté de l'argent : Hagerty était humble. Son aspect était celui d'un homme fatigué, son corps maigre se voûtait dès les épaules, toujours sur la tête un chapeau noir. Il ne l'avait pas enlevé dans la banque, ni dans *Shaughnessy's Provisions and Bar*, où il était assis seul dans un coin, une bouteille de stout devant lui pour le consoler. En ce jour de foire il avait confié les bœufs à Cronin, service dont il pensait profiter le plus possible en le faisant durer encore un peu.

Tandis qu'il buvait il se disait que l'allusion à la dureté des temps que l'employé de banque avait faite n'était pas vraiment nécessaire. Sept de ses dix enfants avaient émigré, quatre au Canada et en Amérique, les trois autres en Angleterre. Kathleen, la cadette, maintenant âgée de seize ans, était restée, avec Biddy, qui n'était pas tout à fait normale, et Con, qui allait hériter de la ferme. Mais sans le champ de Lally ça ne serait pas facile pour Con de tenir. Tôt ou tard il voudrait épouser la fille McKrill, et il serait toujours nécessaire que Biddy reste à la ferme, et au moins pendant un certain temps il aurait aussi à s'occuper d'une mère et d'un père âgés. De temps en temps l'un ou l'autre des enfants exilés envoyait un chèque et Hagerty ne faisait jamais d'objection pour le prendre. Mais aucun d'eux ne pouvait se permettre le prix d'un champ, et il n'allait pas leur demander. Et encore Con n'accepterait ces petits cadeaux que lorsque viendrait pour lui le moment de reprendre la ferme en son entier parce que comment est-ce que le frère aîné pourrait accepter d'être ainsi redevable dans le printemps de sa vie ? Ce n'était pas pareil pour Hagerty : il avait marché nu-pieds dans la ferme dans son enfance, temps où il avait appris l'humilité.

– Vous allez bien, M. Hagerty ? demanda Mme Shaughnessy, traversant le petit bar jusqu'à l'endroit où il était assis. Elle avait été occupée un certain temps avec des clients dans la partie épicerie depuis qu'il était entré ; elle avait enlevé le bouchon de sa bouteille, s'excusant d'être si prise quand elle la lui donna pour se servir lui-même.

– Je vais bien, dit-il, et vous, Mme Shaughnessy ?

— J'ai à nouveau mon rhumatisme d'hiver. Mais Dieu merci il n'est pas trop sévère.

Mme Shaughnessy était une grande femme, avec de larges épaules, et le souvenir qu'il conservait d'elle c'était celui d'une jeune fille jusqu'à ce qu'elle entre dans la boutique par son mariage. Elle portait un soupçon de maquillage, et ses vêtements étaient plus colorés que ceux de sa femme, mais ils étaient cachés en ce moment par sa blouse de travail verte. Jeune fille elle s'était montrée capricieuse, c'est ce qu'il se rappelait avoir entendu, mais on ne pouvait absolument plus dire cela maintenant qu'elle avait dépassé l'âge du milieu de la vie ; aisée, c'était la description que tout chez Mme Shaughnessy exigeait.

— Je voulais vous demander, M. Hagerty. Je suis à la recherche d'une fille de la campagne pour me seconder à la maison. Celles qui ont quelque valeur sont aujourd'hui aussi rares que de la poudre d'or. Est-ce que vous connaîtriez une fille de la campagne là où vous êtes ?

Hagerty allait faire non de la tête, quand tout à coup il se souvint de l'employé de banque qui avait eu le même geste. C'est à ce moment, alors qu'il s'était en fait engagé dans ce geste, qu'il se rappela un fait qui jusqu'alors lui avait paru sans intérêt pour lui : le mari de Mme Shaughnessy prêtait de l'argent aux gens. M. Shaughnessy était un homme d'affaires d'une certaine envergure. En plus de *Provisions and Bar*, il était propriétaire d'un salon de coiffure pour hommes et était agent de la *Property & Life Insurance Company* ; il avait des fonds à ne savoir qu'en faire. Hagerty avait entendu parler de gens qui hypothéquaient une partie de leurs terres à M. Shaughnessy, ou encore la maison de ferme elle-même, si bien qu'ils avaient la possibilité d'acheter des machines ou du bétail. Il n'avait pas jusqu'à présent entendu parler de la moindre absence d'équité ou de pratique malhonnête chez M. Shaughnessy après que le marché eut été conclu et eut pris effet.

— Vous-même, n'avez-vous pas une fille, M. Hagerty ? Pardonnez-moi si cela vous paraît présomptueux, mais je dis toujours que si l'on ne demande pas on ne saura pas. N'avez-vous pas une fille qui a quitté les Sœurs il n'y a pas longtemps ?

Le visage rond et ouvert de Kathleen lui vint à l'esprit, adoucissant momentanément le sien. Sa fille cadette était plutôt potelée, mais son large sourire sans complication faisait souvent irradier sur son visage des moments de joliesse. Elle avait toujours été sa préférée, bien que Biddy, bien sûr, avait une place spéciale aussi.

— C'est ça, elle a quitté le couvent ça fait peu de temps.

Son visage s'éloigna de lui, s'obscurcissant jusqu'à n'être plus présent dans son imagination. Il pensait de nouveau au champ de Lally, à sa forme arrondie comme une nappe à thé tendue sur un buisson pour sécher. Un ruisseau coulait au milieu de quelques petits frênes au bout en bas, le soleil matinal s'attardait au cœur du champ.

— Je n'aurais jamais une autre fille sans connaître la famille, M. Hagerty. Ou bien à moins qu'elle ne soit recommandée par quelqu'un comme vous-même.

— Vous pensez à Kathleen, Mme Shaughnessy ?

— Oui, j'y pense. Je serai franche avec vous, j'y pense.

À ce moment-là quelqu'un gratta avec une pièce sur le comptoir de l'épicerie et Mme Shaughnessy s'éloigna en hâte. Si Kathleen venait pour travailler dans l'appartement au-dessus de *Provisions and Bar*, il serait peut-être en mesure d'évoquer la possibilité d'une hypothèque. Et l'herbe était si grasse dans le champ que pas trop d'années ne s'écouleraient avant que l'hypothèque soit levée. Le champ donnerait à Con la sécurité, Biddy aurait son avenir assuré.

Hagerty savoura une lente gorgée de stout. Il ne voulait pas que Kathleen aille en Angleterre. « Je peux lui trouver une place », avait écrit sa sœur Mary Florence dans une lettre il n'y avait pas longtemps. « Je préfère Kilburn à Chicago », avait-t-il entendu dire Kathleen elle-même à Con, et à cet instant-là il avait été soulagé parce que Kilburn était plus près. Seulement Biddy serait toujours avec eux, parce qu'on ne pouvait être certain que Con ne serait pas tenté d'aller à Kilburn ou à Chicago étant donné la façon dont les choses allaient à l'heure actuelle. « Pour sûr, quel choix est-ce que nous avons dans tout ça ? » avait dit leur mère, mais il y en avait bien assez qui étaient partis, avait-il pensé. Son père s'était battu pour la ferme et lui à son tour s'était battu pour elle.

— Mon Dieu, le toupet de certaines gens ! s'exclama Mme Shaughnessy comme elle revenait dans le bar. Des poires en boîte et du jambon, et un compte impayé depuis janvier ! Est-ce que vous feriez crédit pour ça, M. Hagerty ?

Il secoua la tête de manière appropriée, qui marquait l'étonnement. Il s'était mis à réfléchir à ce qu'elle avait dit, expliqua-t-il. Il n'y avait pas de fille dans son coin qui pourrait convenir, sauf sa Kathleen à lui.

— Vous avez bien fait d'évoquer le nom de Kathleen, Mme Shaughnessy. Les Sœurs n'ont jamais eu à se plaindre d'elle, ajouta-t-il.

— Bien sûr, elle serait inexpérimentée, M. Hagerty. Il me faudrait former chaque pouce d'elle. Bien, j'ai de l'expérience pour ça, pour sûr. On les forme, M. Hagerty, et voilà, elles s'en vont pour se marier. Il n'y a pas signe de ça, n'est-ce pas ?

— Ah, non, non.

— On pourrait peut-être passer un an à les former, et puis elles partiraient. Vraiment, quel sens a tout ça ? Je me demande souvent pourquoi je me donne du mal.

— Kathleen ne s'en irait pas, pas de crainte là-dessus, Mme Shaughnessy.

— C'est mieux de connaître la famille. C'est mieux de connaître un père comme vous êtes.

Tandis que Mme Shaughnessy était en train de parler, son mari apparut derrière le bar. C'était un homme de taille moyenne, avec des cheveux gris brossés en pointe, et une multitude de vaisseaux éclatés donnant une chaude couleur à son visage. Il portait un col et une cravate, ce que ne faisait pas M. Hagerty, et le gilet et le pantalon d'un costume bleu marine. Il avait de nombreux papiers dans sa main droite et un paquet de cigarettes Sweet Afton dans la gauche. Il étala les papiers sur le comptoir, et, ayant allumé une cigarette, se mit à les examiner. Tout en écoutant Mme Shaughnessy poursuivre, Hagerty ne pouvait détacher de lui son regard.

— Vous prenez une fille de la campagne et vous ne sauriez pas si elle est propre ou bien si elle volerait des choses. Nous en avions une fois une bizarre, elle mangeait de l'oignon cru. Vous entriez dans la cuisine et elle était en train de le faire. « Qu'est-ce que tu mâches, Kitty ? » vous pourriez lui dire poliment. Et elle pourrait ouvrir sa bouche et vous pourriez voir l'oignon dedans.

— Kathleen ne mangerait pas des oignons.

— Ah, je ne dis pas qu'elle le ferait. Des, voudrais-tu apporter à M. Hagerty une autre bouteille de stout ? Il a une fille pour nous.

Levant la tête de ses papiers mais conservant son doigt posé sur eux, son mari lui demanda de quoi elle parlait.

— Kathleen Hagerty pourrait venir ici et m'aider, Des.

M. Shaughnessy demanda qui était Kathleen Hagerty, et quand il sut que son père était dans le bar avec une bouteille de stout, et en manque d'une autre, il fourra ses papiers dans sa poche et déboucha deux autres bouteilles. Sa femme fit un clin d'œil à Hagerty. Il aimait avoir une bonne dans la maison, dit-elle. Il faisait semblant de ne pas aimer ça, mais l'idée lui plaisait.

Pendant tout le trajet de retour à la ferme, reconduisant les bœufs, Hagerty réfléchissait à ce coup de chance. C'est découragé qu'il était entré chez Shaughnessy, qui se trouvait être la taverne la plus proche de la banque. S'il n'avait pas fait ça, et si Mme Shaughnessy n'avait pas évoqué ses besoins domestiques, et si son mari n'était pas entré quand il l'avait fait, il n'y aurait pas eu une once de bonne nouvelle à rapporter. « Je voudrais acheter un champ », avait-il dit sans détour à M. Shaughnessy, ne voulant rien dissimuler. Ils l'avaient écouté tous les deux, Mme Shaughnessy ne s'étant absentée qu'une seule fois pour se verser un demi-verre de sherry. Ils avaient tout de suite compris la chose à propos du champ qui avait de la valeur pour lui à cause de sa situation.

— Est-ce que ça n'a pas tout l'air d'être un superbe bout de champ, Des ? avait remarqué Mme Shaughnessy avec enthousiasme. Avec un grand soleil chaud dessus ?

Il avait révélé le prix que la vieille veuve de Lally demandait ; il avait fait état devant eux de toutes les données à sa disposion.

À la longue, à part les quatre bouteilles de stout, on lui avait versé un verre de Paddy, et puis Mme Shaughnessy lui avait fait un sandwhich au fromage à tartiner. Il enverrait Kathleeen, avait-il promis, et après cela ce serait à Mme Shaughnessy à voir. « Mais pour sûr, je pense qu'on fera l'affaire », avait-elle prédit avec confiance.

Biddy le verrait arriver, se dit-il tandis qu'il encourageait les bœufs à avancer. Elle verrait les bœufs et elle courrait en retournant à la maison pour dire qu'ils n'avaient pas été vendus. Ils feraient alors une triste figure, mais il aurait l'air calme quand il entrerait dans la cuisine et tendrait sa main pour son thé. La foire avait été salement mauvaise, rendrait-il compte, ce qui n'était rien d'autre que la vérité ; et il détaillerait les offres qu'on lui avait faites. Il raconterait sa conversation avec M. Ensor et puis expliquerait comment il était entré chez Shaughnessy pour se reposer avant le chemin du retour.

Sur la route devant lui il vit Biddy en train d'agiter la main et de faire ce qu'il avait su qu'elle ferait : se dépêchant vers la maison pour le précéder avec les nouvelles. Comme il murmurait à Dieu des mots de remerciements, sa plus jeune fille de nouveau occupa l'esprit de Hagerty. Le jour où Kathleen était née il avait plu de l'aube jusqu'à la tombée de la nuit. Les gens avaient dit que ça portait bonheur à la famille de l'enfant, et peut-être ils avaient raison.

Kathleen fut conduite d'une pièce à une autre et se sentit effrayée. Elle n'avait jamais eu jusqu'alors l'occasion d'avoir un tapis sous ses pieds. À la ferme il y avait des planches ou du linoléum, et du linoléum dans la pièce de la mère supérieure au couvent. Elle s'étonna des murs tapissés de papier : des fleurs cascadaient dans les angles et couraient en un mince bandeau autour de la pièce près du plafond.

— Je vois que tu admires la frise, dit Mme Shaughnessy. J'ai fait refaire la maison il y a un an.

Elle fit une pause et puis rit, amusée de l'émerveillement sur le visage de Kathleen.

— Ces petits bandeaux, dit-elle, je pense que de nos jours on les appelle des frises.

Quand Mme Shaughnessy riait son menton s'allongeait et devenait lisse, et la peau se tendait sur son front. Sa denture très blanche — que plus tard Kathleen sut qu'elle appelait son « delf » — se déplaça légèrement derrière ses lèvres passées au rouge. Le rire était un souffle calme qui rapidement cessait de lui-même.

— Tu es une lève-tôt, n'est-ce pas, Kathleen ?

— Je suis habituée à me lever, m'dam.

Il faut toujours dire « m'dam », lui avait recommandé la mère supérieure — parce que Kathleen avait été convoquée quand on avait su que Mme Shaughnessy voulait bien entreprendre la tâche de sa formation de bonne. La mère supérieure aimait bien échanger quelques mots avec chacune des filles qui avaient été au couvent quand une question d'emploi se posait dans la région, ou s'il était question d'émigration. La mère supérieure voulait s'assurer que l'avenir d'une fille correspondait à ce qu'elle-même aurait choisi pour la fille ; et elle aimait souligner certains dangers, sentant qu'il était de son devoir de le faire. Le jeûne de vendredi n'était pas observé dans les familles protestantes, où il y aurait aussi un manque de rappels du sacré. Les conditions rencontrées après avoir émigré laissaient même davantage à désirer.

— Alors, celle-ci serait ta chambre, Kathleen, dit Mme Shaughnessy, la conduisant dans une petite chambre en haut de la maison. Il y avait une toilette de porcelaine blanche avec un pot posé dedans, et un lit avec un matelas dessus, et une armoire. La console sur laquelle se trouvaient la toilette et le pot était peinte en blanc, de même que l'armoire. Un rideau de tulle pendait devant la partie inférieure de la fenêtre et devant sa partie supérieure il y avait un store brun semblable à ceux dans la pièce de la mère supérieure. Il n'y avait pas de tapis à terre et il n'y avait pas non plus de linoléum ; mais une carpette s'étendait sur les lames à côté du lit, et Kathleen ne pouvait s'empêcher d'imaginer ses pieds nus se posant sur son moelleux, au début de chaque matin.

— Il doit y avoir les deux tenues que la dernière fille portait, dit Mme Shaughnessy. Elles t'iraient sans problème, mais je dirais que tu es plus forte de poitrine. Tu n'aurais pas l'habitude d'une tenue, Kathleen ?

— Je n'en avais pas une au couvent, m'dam.

— Tu prendras vite l'habitude des robes.

C'était la première fois que Mme Shaughnessy laissait entendre qu'elle la considérait comme convenant au poste. Les robes étaient pendues dans l'armoire, dit-elle. Il y avait des draps et des couvertures dans l'armoire à linge.

— Je préfère t'appeler Kitty, dit Mme Shaughnessy, si tu n'y vois pas d'inconvénient. La dernière fille s'appelait Kitty, et aussi une autre que nous avons eue.

Kathleen dit que ça pourrait aller. On ne l'avait pas appelée Kitty au couvent, ni à la maison parce que c'était le petit nom de sa sœur aînée.

— Bien, c'est parfait, dit Mme Shaughnessy, le ton de sa voix signifiant que l'arrangement avait déjà été fait.

— Je n'ai jamais été aussi content de toi, dit son père quand Kathleen revint à la maison. Tu es une brave petite fille.

Quand elle avait déposé quelques-unes de ses affaires dans une valise que Mary Florence avait laissée une fois après une visite, il dit que ce n'était pas du tout comme un départ parce qu'elle n'allait qu'à sept miles de là. Elle reviendrait chaque dimanche après-midi ; ce n'était pas comme Kilburn ou Chicago. Elle était assise à côté de lui sur le chariot et il expliqua que dans une certaine mesure les Shaughnessy avaient été généreux. Les gages qu'il avait convenus avec eux seraient retenus et comptés en paiement de la dette : c'était cela qui rendait toute l'affaire possible, réduisant ses paiements mensuels à une somme qu'il espérait pouvoir assurer, même en tenant compte du découvert bancaire. « Ce n'est pas tout le monde qui consentirait un tel arrangement, Kathleen. »

Elle dit qu'elle comprenait. Il y avait une vivacité nouvelle chez son père ; la fatigue dans son visage avait laissé place à une exaltation de plaisir. Sa gratitude envers les Shaughnessy, et la gratitude de sa mère, avaient fait de la ferme un endroit différent les deux dernières semaines. Biddy et Con en avaient été touchés, et aussi Kathleen, même si elle n'avait aucune idée de ce que la vie serait dans la maison au-dessus de *Shaughnessy's Provisions and Bar*. Mme Shaughnessy n'avait pas précisé ses tâches, disant seulement que chaque soir quand elle montait se coucher elle devrait emporter avec elle le réveil du dressoir de la cuisine, et le descendre de nouveau chaque matin. La chose la plus importante de toutes semblait être qu'elle devait se lever promptement de son lit.

— Tu écouteras bien tout ce que Mme Shaughnessy te dit,
la supplia son père. Tu t'occuperas comme il faut de tout le
travail, Kathleen ?

— Je le ferai, bien sûr.

— Ce sera si bien de te voir le dimanche, fille.

— Ce sera si bien de venir à la maison.

Une bicyclette, également abandonnée par Mary Florence,
restait à l'arrière du chariot. Kathleen avait voulu attacher la
valise avec de la ficelle sur le porte-bagage et aller elle-même
à bicyclette, mais son père ne le lui avait pas permis. « C'est
dangereux », avait-il dit ; « une valise attachée de cette manière
pourrait facilement té faire perdre la balance. »

— Le champ de Kathleen, c'est ainsi que nous allons l'appeler,
dit son père comme ils faisaient ensemble le trajet ; et il ajouta
après un moment : « Ce sont des gens biens, Kathleen ; tu vas
dans une maison bien, Kathleen. »

— Oh, je sais, je sais.

Mais après seulement une demi-journée là-bas Kathleen
voulait être de retour à la ferme. Elle avait tout de suite su
combien le confort de la cuisine qu'elle avait connu toute sa
vie allait lui manquer, et la pièce le long du corridor qu'elle
partageait avec Biddy, où Mary Florence avait dormi aussi, et
les chiens la caressant du nez dans la cour. Elle avait su combien
Con lui manquerait, et son père et sa mère, et combien ça lui
manquerait de ne plus s'occuper de Biddy.

— Maintenant, je vais te montrer comment dresser une table.
Écoute-moi bien, Kitty.

Des sous-plats en liège étaient posés sur la nappe, afin que
la chaleur des plats ne passe pas jusqu'à la surface polie en
dessous. De petites assiettes étaient placées à gauche de chaque
sous-plat, sur lesquelles on déposait les peaux des pommes de
terre. Un couteau et une fourchette étaient disposés de part et
d'autre des sous-plats, et une cuiller et une fourchette à la

perpendiculaire sur le haut. Le poivre et le sel étaient placés de façon que M. Shaughnessy puisse facilement les atteindre. Des grandes cuillers étaient placées à côté des sous-plats plus grands au milieu. La table pour le petit déjeuner était préparée la veille, avec les tasses renversées sur les soucoupes pour qu'elles n'attrapent pas la poussière lorsque les cendres étaient enlevées de la cheminée.

— Tu peux couper le petit bois, Kitty ? Je te montrerai comment le faire avec la serpe.

Elle lui montra, en plus, comment nettoyer le tapis sur l'escalier avec une brosse à main à poils durs, et comment utiliser la pelle. Elle expliqua que chaque manteau de cheminée dans la maison devait être épousseté chaque matin, de même que tous les endroits où la saleté pouvait se déposer. Elle lui montra où les casseroles et les assiettes étaient rangées, et lui expliqua comment allumer la cuisinière, la toute première tâche de la journée. La cour à l'arrière exigeait d'être balayée une fois la semaine, le samedi entre quatre et cinq heures. Et chaque jour après le petit déjeuner il fallait pomper de l'eau du réservoir dans la cour, un travail de quinze minutes avec la pompe à bras.

— Voilà les W.-C. que tu utiliseras, Kitty, lui indiqua Mme Shaughnessy, l'amenant à un cabinet dans une autre partie de la cour. « Les bonnes utilisent toujours ceux-ci. »

Les robes des tenues n'étaient pas à la bonne taille. Elle se regarda dans la bleue et puis dans la noire. Le miroir au-dessus de la crédence étaient terni, mais elle pouvait se rendre compte qu'aucune des deux tenues ne la mettait en valeur de quelque façon que ce soit. Elle avait l'air aussi grosse que bouffonne, pensait-elle, avec les bords irréguliers, et les manches trop étroites sur ses avant-bras.

— Oh voilà, ça c'est vraiment très bien, dit Mme Shaughnessy quand Kathleen sortit de sa chambre dans la noire.

Elle montra comment le plastron du tablier devait être maintenu en place et comment le bonnet de l'après-midi devait être posé.

— Ton père va bien ? demanda M. Shaughnessy après qu'il fut monté pour son thé de six heures.

— Il va bien, monsieur.

Kathleen dut brusquement retenir ses larmes parce que sans crier gare la référérence à son père lui avait donné envie de pleurer.

— Il était troublé le jour où je l'ai vu, dit M. Shaughnessy, pour la raison qu'il n'avait pu vendre les bœufs.

— Il va bien maintenant, monsieur.

Le fils des Shaughnessy apparut alors à son tour, un jeune homme au visage mince qui ne lui avait pas adressé la parole quand il était arrivé dans la salle à manger au milieu de la journée et ne lui adressait pas la parole maintenant. Il n'y avait que trois membres de la famille, deux enfants plus jeunes ayant grandi et étant partis. Au cours de la journée Mme Shaughnessy avait souvent fait allusion à son autre fils et à sa fille, le fils faisant du commerce à Limerick, la fille étant mariée à un arpenteur-géomètre du comté. Le fils au visage mince allait hériter des commerces, dit-elle, le salon de coiffure et le *Provisions and Bar*, et peut-être même des assurances. Dans un accès de tristesse, Kathleen songea à Con héritant de la ferme. Avant cela il se marierait avec Angie McKrill, qui n'hésiterait pas à l'épouser maintenant que la ferme avait pris de l'importance.

Kathleen finit de mettre le couvert et retourna à la cuisine, où Mme Shaughnessy était en train de faire revenir des portions de lard aux œufs et des tranches de pain au bicarbonate. Quand tout fut prêt elle les disposa sur trois assiettes et Kathleen emporta le plateau jusqu'à la salle à manger, sans oublier la théière. Ses instructions étaient de retourner à la cuisine quand elle avait fait cela et de frire ses propres portions de lard aux œufs, et le pain au bicarbonate si elle en voulait.

— Je ne sais pas si nous ferons grand-chose de celle-là, entendit-elle dire Mme Shaughnessy comme elle refermait la porte de la salle à manger.

Cette nuit-là elle resta éveillée dans le lit inconnu, ne voulant pas dormir parce que le sommeil ferait venir trop vite le matin, et une autre journée comme celle qu'elle avait eue. Elle ne pouvait pas rester ici : elle dirait cela dimanche. S'ils savaient comment étaient les choses ici ils n'aimeraient pas qu'elle reste. Elle sanglota, songeant à nouveau à la chaleur de la cuisine qu'elle avait laissée derrière elle, les chiens de berger allongés près du feu et Biddy qui faisait tourner la roue du soufflet, la seule tâche ménagère qu'elle pouvait accomplir. Elle songea à sa mère et à son père assis à la table comme à l'accoutumée, sa mère tricotant, son père réfléchissant, avec son chapeau toujours sur la tête. S'ils pouvaient la voir dans les robes ils comprendraient. S'ils pouvaient la voir debout là-bas en train de pomper l'eau ils seraient sûrement chagrinés par ce qu'elle ressentait.

— Je manque de temps pour te répéter les choses, Kitty, dit Mme Shaughnessy deux fois de suite, son long visage peint ne souriant absolument pas. Si quelque chose était cassé, avait-elle dit, le prix de l'objet devrait être déduit de ses gages, et elle parlait comme si les gages allaient réellement changer de mains. Dans les rêves de Kathleen Mme Shaughnessy riait sans arrêt, son menton devenant long et lisse et ses grandes dents blanches se déplaçant dans sa bouche. Les robes appartenaient à une des filles du roi d'Angleterre, expliquait-elle, et c'est pour cela qu'elles n'étaient pas à la bonne taille. Et puis Mary Florence était entrée dans la cuisine et dit qu'elle venait juste d'arriver de Kilburn avec une paire de chaussures qui appartenait à quelqu'un d'autre. Le prix des chaussures serait déduit de ses gages, et Mme Shaughnessy était d'accord.

Quand Kathleen ouvrit les yeux, réveillée par le réveil à six heures et demie, elle ne savait pas où elle était. Et puis l'un à la suite de l'autre les détails du jour précédent finirent par lui faire prendre conscience qu'elle était réveillée : les dessous-de-plat en liège, l'appentis où l'on coupait le petit bois, le visage mince du fils des Shaughnessy, les poignées de porte graisseuses dans la cuisine, l'impatience dans la voix de Mme Shaughnessy. La réalité était pire que dans ses rêves confus, et il n'y avait rien de magique dans la douceur de la carpette sous ses pieds nus : elle ne la remarqua même pas. Elle releva sa chemise de nuit jusque par-dessus sa tête, et pendant une seconde eut la vision de sa nudité dans le miroir terni — des cuisses et des genoux avec leur rondeur, la fossette dans son estomac. Elle enfila ses bas et son petit linge, se sentant même plus perdue que quand elle avait essayé de ne pas s'endormir. Elle s'agenouilla au pied de son lit, et faisant ses prières habituelles demanda à être enlevée de la maison des Shaughnessy. Elle pria pour que son père puisse la comprendre quand elle le lui dirait.

— Le maître attend son petit déjeuner, Kitty.

— J'ai allumé la cuisinière la minute que j'étais en bas, m'dam.

— Si tu ne le mets pas en route vingt minutes avant sept heures elle ne sera pas suffisamment chaude. Je te l'ai dit hier. Tu as enlevé les plaques ?

— Le papier ne voulait pas prendre, m'dam.

— Si le papier ne voulait pas prendre c'est parce que tu en as utilisé un peu d'humide. Ou peut-être du papier d'un magazine. Tu ne peux pas allumer du feu avec du papier d'un magazine, Kitty.

— Si j'avais une goutte de paraffine, m'dam.

— Mon Dieu, tu es folle, mon enfant ?

— À la maison nous jetions une demi-tasse de paraffine si le feu était lent, m'dam.

— Ne viens jamais avec de la paraffine dans le voisinage de la cuisinière. Si le maître t'entendait, il serait hors de lui.

– Je pensais seulement que cela pourrait le faire prendre plus vite, m'dam.

– Mets le réveil pour six heures si tu vas être lente avec le feu. Si le petit déjeuner n'est pas sur la table à huit heures moins le quart, le maître va exploser. Tu as placé les assiettes dans le bas du four ?

Quand Kathleen ouvrit la porte du bas du four un chaton noir s'en échappa, griffant le dos de sa main dans son élan.

– Grands dieux tout-puissants ! s'exclama Mme Shaughnessy. Tu as décidé de rôtir le pauvre chat ?

– Je ne savais pas qu'il était dedans, m'dam.

– Tu as allumé le feu avec la pauvre créature dedans ! À quoi pensais-tu pour faire une chose pareille, Kitty ?

– Je ne savais pas, m'dam…

– Regarde toujours dans les deux fours avant d'allumer la cuisinière, enfant. Tu ne m'as pas entendue te dire ça ?

Après le petit déjeuner, quand Kathleen entra dans la salle à manger pour débarrasser la table, Mme Shaugnessy était en train de raconter à son fils l'histoire du chaton dans le four.

– Est-ce qu'elles n'ont pas la cervelle comme des navets ? dit-elle, bien que Kathleen fût dans la pièce.

Le fils esquissa un pâle sourire, mais quand Kathleen lui demanda s'il avait terminé avec la confiture il ne répondit pas.

– Essaie de t'exprimer plus distinctement, Kitty, dit plus tard Mme Shaughnessy, Ce n'est pas tout le monde qui peut saisir un accent campagnard.

La journée était semblable à la journée précédente, sauf qu'à onze heures Mme Shaughnessy dit :

– Monte et enlève ton bonnet. Mets ton manteau et descends la rue jusqu'à chez Crawley. Une demi-livre de steak dans le morceau, et du saindoux. Prends le livre de comptes sur le dressoir. Il saura qui tu es quand il le verra.

Jusqu'à présent, cette tâche était la plus agréable qu'on lui eût demandé d'accomplir. Elle dut attendre dans la boutique parce qu'il y avait deux autres personnes avant elle, et toutes les deux étaient en train de causer avec le boucher.

— Je connais ton père, lui dit M. Crawley quand il lui avait demandé son nom, et il s'engagea aussi avec elle dans une conversation, voulant savoir si son père était en bonne santé et demandant des nouvelles de ses frères et sœurs. Il avait entendu parler de l'achat du champ de Lally. Dans la ville elle était la dernière bonne à porter une tenue, avait-il dit, maintenant que dans la maison des Maclure Nellie Broderick avait dû abandonner à cause de ses jambes.

— Tu es folle ? lui cria Mme Shughnessy quand elle fut revenue. Je devrais être en bas dans la boutique et ne pas avoir à attendre pour mettre la viande. Est-ce que je ne t'ai pas dit hier de ne pas traîner le matin ?

— Je regrette, m'dam, sauf que M. Crawley…

— Descends à la boutique et dis au maître que j'ai pris du retard pour préparer le repas et que tu peux l'aider dix minutes.

Mais quand Kathleen se montra dans l'épicerie M. Shaughnessy lui demanda si elle ne s'était pas perdue. Le fils pesait du sucre qu'il versait dans des sachets de papier gris et attachait une ficelle autour de chacun d'eux. Un murmure de voix venait du bar.

— Mme Shaughnessy a pris du retard dans la préparation du repas, dit Kathleen. Elle pensait que je pourrais vous aider pour dix minutes.

— Eh bien, ça c'en est une bonne ! dit M. Shaughnessy en rejetant sa tête en arrière et en explosant de rire.

Une petite pluie de jets de salive mouilla le visage de Kathleen. Le fils eut son sourire tiède.

— Est-ce que tu peux faire un cornet en papier ? Est-ce que tu comprends ce que ce c'est qu'un cornet en papier ? M. Shaughnessy fit une démonstration avec un morceau de papier brun sur le comptoir. Kathleen fit non de la tête.

— Saurais-tu combien il faut demander pour un quart de livre de thé, Kitty ? Peux-tu peser du sucre, Kitty ? Retourne à madame, tu veux bien, et dis-lui d'être raisonnable.

Dans la cuisine Kathleen dit la chose d'une façon différente, expliquant simplement que M. Shaughnessy n'avait pas eu besoin de ses services.

— Monte un seau de charbon à la salle à manger, ordonna Mme Shaughnessy. Et sors la moutarde. Sais-tu préparer de la moutarde ?

Kathleen n'avait jamais goûté de moutarde de sa vie ; elle en avait entendu parler mais elle ne savait pas précisément ce que c'était. Elle allait dire qu'elle n'était pas certaine de savoir la préparer, mais avant même qu'elle se mette à parler Mme Shaughnessy soupira et lui dit de plutôt laver les marches sur la rue.

— Je ne veux pas retourner là-bas, dit Kathleen le dimanche. Je n'arrive pas à comprendre ce qu'elle me dit. Je me sens trop seule.

Sa mère fit preuve de compréhension, mais elle fit quand même non de la tête.

— Y a des gens que je connaissais autrefois, dit-elle. Des gens dans notre situation qui avaient des fermes qui sont tombées sur leurs têtes. Ils courent les routes maintenant, pas mieux que les romanichels. J'ai dix enfants, Kathleen, et sept d'entre eux m'ont quittée. Parmi eux il y en a cinq que peut-être je ne verrai plus jamais. C'est ça à quoi tu dois penser, ma chérie.

— J'ai pleuré la première nuit. Je me sentais si seule quand je me suis couchée.

— Mais n'est-ce pas une chambre propre que tu as, chérie ? Et est-ce qu'on ne te donne pas à manger une nourriture qui est meilleure que celle que tu aurais ici ? Et est-ce que les robes qu'elle te fournit ne nous épargnent pas encore une dépense ? Tu ne pourrais pas penser à tout cela, chérie ?

Un marché avait été fait, lui rappela aussi sa mère, et un marché c'était un marché. Biddy ajouta que ça semblait fameux, de sortir dans la ville pour des courses. Elle donnerait n'importe quoi pour avoir une maison comme celle-là, dit Biddy, avec des poêles à charbon et des escaliers.

— On pourrait penser qu'ils sont très contents de toi, dit le père de Kathleen quand il revint de la cour plus tard. Tu serais revenue dans la journée s'ils ne l'avaient pas été.

Elle avait fait de son mieux, pensait-elle comme elle s'éloignait de la ferme sur la bicyclette de Mary Florence ; si elle avait tout fait mal elle serait redevenue libre. Elle se mit à pleurer parce qu'elle ne verrait plus Biddy ni Con ni son père et sa mère pendant encore une semaine. Elle redoutait le retour dans la chambre solitaire que sa mère lui avait demandé de ne pas oublier qu'elle était propre, et la cuisine où il n'y avait personne pour lui tenir compagnie pendant les soirées. Elle se dit qu'elle serait incapable de compter de nouveau les jours jusqu'à dimanche et quand dimanche arrivait les quelques heures passaient si vite. Mais elle savait, maintenant, qu'elle resterait dans la maison des Shaughnessy aussi longtemps que nécessaire.

— Je dois t'avoir ici à six heures et demie, Ketty, dit Mme Shaughnessy quand elle la vit. Il est plus près de sept heures maintenant.

Katty dit qu'elle regrettait. Elle avait dû s'arrêter pour gonfler le pneu arrière de sa bicyclette, dit-elle, bien qu'en fait ce ne fût pas la vérité : la raison pour laquellle elle s'était arrêtée c'était pour essuyer les traces de ses larmes et puis se moucher le nez. Pendant la brève période où elle avait fait partie de la maisonnée elle avait pris l'habitude de présenter ses excuses et de gommer ses manques par des mensonges qui étaient plus faciles que la vérité.

— Rôtis le pain comme je te l'ai montré, Kitty. Fais-le dorer de chaque côté. Le maître l'aime croustillant.

Il y avait quelque chose que M. Shaughnessy aimait aussi, une chose que Kathleen découvrit après que sept de ses dimanches après-midi libres se furent passés. Un matin elle époussetait le manteau de la cheminée dans la salle à manger quand il surgit et se plaça tout près d'elle. Elle pensa qu'elle était sur son chemin, et lui fit place, mais une ou deux semaines plus tard il se mit de nouveau près d'elle, son haleine chaude sur sa joue. Quand la troisième fois cela se produisit elle se sentit rougir.

C'est de cette façon que M. Shaughnessy plutôt que sa femme finit par jouer, pour Kathleen, un rôle essentiel dans la maison. Le fils au visage mince restait ce qu'il avait été depuis le jour de son arrivée, une présence maussade, participant peu au déroulement de la conversation et ne révélant jamais les fruits de sa rumination silencieuse. Mme Shaughnessy, ayant donné ses instructions, avait, semble-t-il, fini par abandonner le rôle qu'elle s'était fixé. Elle venait dans la cuisine au milieu de la journée cuire la viande et les pommes de terre et un des puddings au lait que son mari aimait particulièrement, mais à part cela la cuisine était désormais le territoire de Kathleen et c'était à elle qu'incombait la responsabilité de frire les mets pour le petit déjeuner et pour le thé de six heures. Mme Shaughnessy préférait être dans la boutique. Elle aimait bien le côté social de la chose, dit-elle à Kathleen ; et elle aimait bien de temps à autre le demi-verre de sherry dans le bar.

— C'est tout à fait moi, Kitty. M'occuper du ménage ne m'a jamais parlé.

Elle était plus aimable dans son comportement, et avoua qu'elle avait toujours trouvé que former une fille de la campagne était une tâche épuisante et ennuyeuse et aurait ainsi pu être un peu impatiente.

— Kitty s'est très bien adaptée, confia-t-elle au père de Kathleen quand il se fut arrêté au bar un jour de foire pour régler une traite de l'hypothèque. Il avait été ravi d'entendre cela, dit-il à Kathleen le dimanche suivant.

M. Shaughnessy ne disait jamais rien quand il venait se placer près d'elle, bien qu'en d'autres occasions il lui adressait la parole de façon plutôt plaisante, lui décernant même des compliments sur sa manière de frire. Il avait une manière détendue, tout à fait différente de celle de son fils. Il ressemblait davantage à ses deux autres enfants, la fille mariée et le fils qui était à Limerick, dont Kathleen avait fait la connaissance lorsqu'ils étaient revenus à la maison pour les funérailles d'un oncle. Parfois il répétait une histoire drôle qu'on lui avait racontée, et Mme Shaughnessy riait, son menton s'allongeant et la peau se tendant sur son front. À l'occasion des funérailles de l'oncle son autre fils et sa fille avaient eux aussi ri aux histoires drôles, mais le fils qui était resté à la maison n'avait fait que sourire.

— Attends que je te raconte celle-là, Kitty, lui disait-il parfois, seul avec elle dans la salle à manger. Il lui narrait une des histoires de Bob Crowe, qui gérait le salon de coiffure pour lui, et que celui-ci tenait d'un client, tirant le plus possible parti de l'anecdote d'une façon qui laissait entendre qu'il voulait l'amuser le plus possible. Ses manières et le ton de sa voix pouvaient laisser croire que de se planter près d'elle ne lui était pas indispensable ou bien que cette façon d'agir ainsi lui était sortie de la tête.

Mais le teint écarlate du visage de M. Shaughnessy et les cheveux gris en pointe, l'odeur de la fumée de cigarette qui émanait de ses vêtements, ne pouvaient être si facilement oubliés de Kathleeen. Elle ne pleurait plus à cause de sa solitude dans sa chambre, mais elle prenait conscience que le comportement de M. Shaughnessy donnait à son sentiment d'isolement une dimension supplémentaire et vive, parce que dans la cuisine de la ferme le dimanche un tel comportement ne pouvait être mentionné.

Chaque soir Kathleen restait assise à côté de la cuisinière, en train d'y penser. Le chaton noir qui avait bondi hors du four le deuxième matin avait grandi pour devenir un chat et restait clignotant des yeux près de sa chaise. Le réveil faisait bruyamment son tic-tac sur la desserte. Est-ce que c'était quelque chose qu'elle devait confesser ? Est-ce que c'était un péché que d'être aussi silencieuse qu'elle l'était quand il venait se placer près d'elle ? Est-ce que c'était un péché d'être incapable de trouver le courage de lui dire de la laisser tranquille ? Une fois, dans le village où se trouvait le couvent, une autre fille de sa classe avait montré de la tête un garçon qui traînait avec d'autres garçons près d'un poteau de signalisation. Ce garçon était toujours en train de vouloir t'embrasser, disait la fille ; il te suivait ici et là, te chuchotant des choses. Mais bien que Kathleen rentrait souvent chez elle seule, le garçon ne l'avait jamais approchée. Il n'était pas mal comme garçon, avait-elle pensé, cela ne lui aurait pas beaucoup déplu. Elle se demandait si elle essuyerait des refus de la part des garçons dont ses sœurs s'étaient plaintes, qui essayaient de vous embrasser quand ils dansaient avec vous. De vrais fléaux, c'est ainsi ainsi que ses sœurs les avaient appelés ; mais Kathleen pensait que c'était gentil qu'ils veuillent bien le faire.

M. Shaughnessy était différent. Quand il se mettait tout près d'elle sa respiration devenait bruyante et irrégulière. Il s'écartait toujours assez rapidement, quand elle ne s'y attendait pas. Il s'éloignait, ne regardant jamais derrière lui, presque sans un bruit.

Puis un jour, alors que Mme Shaughnessy s'achetait un nouveau jupon et que le fils était dans la boutique, il entra dans la cuisine, tandis qu'elle était en train de curer les planches d'écoulement des eaux. Il vint droit là où elle était, comme s'il existait entre eux quelque entente qui lui permettait de faire ainsi. Il demeura dans une attitude un peu différente de l'habituelle, derrière elle plutôt qu'à côté, et elle sentit pour la première fois ses mains sur ses vêtement.

— M. Shaughnessy, souffla-t-elle, M. Shaughnessy, attention.

Il n'en tint pas compte. Une partie de son visage touchait ses cheveux. Le rythme de sa respiration se modifia.

— M. Shaughnessy, je n'aime pas ça.

Il semblait ne pas l'entendre ; elle sentit que ses yeux étaient clos. Aussi soudainement, et aussi rapidement que d'habitude, il s'en alla.

— Eh bien, Bob Crowe m'a raconté ce soir une drôle d'histoire, dit-il ce soir-là, comme elle déposait leurs assiettes de mets frits devant eux dans la salle à manger. Il paraît qu'il y avait une femme qui dormait dans la vitrine chez Clery là à Dublin.

Sa femme montra de l'incrédulité.

— Bob Crowe te raconterait n'importe quoi, dit-elle.

— Dans une transe hypnotique, semble-t-il. Faisant de la publicité pour les matelas Odearest.

— Ah, quelle histoire ! Il se moque de toi, Des !

— Pas du tout. Elle est là depuis une semaine, paraît-il. La police est obligée de faire circuler les gens.

Kathleen ferma la porte de la salle à manger derrière elle. Il s'était détourné pour la regarder quand il avait dit qu'il y avait une femme qui dormait dans la vitrine chez Clery, dans une tentative de l'inclure dans ce qu'il y avait à vendre. Ses yeux n'avaient rien révélé de leur relation subreptice, mais Kathleen n'avait pas été capable de rencontrer son regard.

— Nous avons labouré le champ, dit son père le dimanche suivant. Je n'ai jamais retourné une si bonne terre.

À cette seconde elle faillit lui dire. Elle le voulait si fort qu'elle ne parvint qu'à peine à s'en empêcher. Elle voulait laisser venir ses larmes et entendre sa voix qui la consolait. Quand elle était enfant elle avait aimé ça.

— Tu es une fille formidable, dit-il.

M. Shaughnessy prit l'habitude d'assister à une messe plus matinale que celle de sa femme et de son fils, et lorsqu'ils étaient dehors à y assister il venait dans la cuisine. Quand elle allait se réfugier dans sa chambre il la suivait. Elle se serait enfermée dans les W.-C. dans la cour s'il y avait eu un loquet sur la porte.

— Eh bien, Kitty et moi-même étions assez tranquilles ici, disait-il dans la salle à manger plus tard, quand tous les trois ils prenaient leur déjeuner.

Elle ne comprenait pas comment il pouvait se permettre de parler ainsi, ou comment il pouvait avaler sa nourriture d'une façon si goulue, comme si rien ne s'était passé. Elle ne comprenait pas comment il pouvait se comporter comme si de rien n'était avec son fils ou avec ses autres enfants quand ils venaient en visite. C'était incroyable d'entendre Mme Shaughnessy fredonner ses chansons dans tel ou tel endroit de la maison et l'appelant par son prénom.

— La fille Kenny se marie, dit Mme Shaughnessy au cours de l'un de ces repas. Tyson de la quincaillerie.

— Je ne savais pas qu'il y avait quelque chose entre elle et lui.

— Oh, ça dure depuis un bon moment.

— C'est la fille du milieu ? Celle qui se péroxyde ?

— Enid, elle s'appelle.

— Je me demande pourquoi Bob Crowe ne le sait pas. Il ne rate presque jamais rien.

— Je n'ai jamais pensé beaucoup de bien de Tyson. Mais peut-être qu'après tout ils sont bien assortis.

— Tu as entendu ça, Kitty ? Enid Kenny se marie. Ne te laisse pas donner des idées par elle.

Il rit, et Mme Shaughnessy rit, et le fils sourit.

Il n'y a guère de chance que ça se produise, pensa Kathleen.

— Tu vas danser ce soir ? lui demandait souvent le vendredi M. Crawley, et elle répondait qu'elle y songeait, mais elle ne le faisait jamais parce que y aller seule n'était pas chose aisée. Dans les boutiques et à la messe personne ne montrait le moindre petit intérêt pour elle, personne ne la regardait de la façon dont Mary Florence avait été regardée, et elle supposait que c'était parce que ses formes n'étaient pas assez bien. Mais elles convenaient à M. Shaughnessy, avec son haleine haletante et le visage dans ses cheveux. Amèrement, elle pensait à ça ; amèrement, elle s'imaginait lui faisant face dans la salle à manger, le dénonçant devant sa femme et son fils.

— Tu as oublié de balayer la cour cette semaine ? lui demanda Mme Shaughnessy. C'est qu'elle n'a pas l'air propre.

Elle expliqua que le vent y avait amené des papiers et des détritus d'une poubelle qui avait été renversée. Elle balayerait une deuxième fois, dit-elle.

— J'ai en horreur une cour sale, Kitty.

Est-ce que c'était pour cette raison que les autres filles étaient parties, s'interrogea-t-elle, les filles qui avaient été formées par Mme Shaughnessy, et puis qui étaient parties ? Ces filles, quelles qu'elles soient, la verraient, ou sauraient qui elle était. Elles l'imagineraient dans une tenue ou bien dans une autre, lui obéissant parce qu'elle était l'objet de ses attentions. C'est ce qu'elles diraient à nouveau sur elle.

— Laissez-moi seule, monsieur, dit-elle, quand elle le vit s'approcher d'elle la fois suivante, mais il n'y prêta pas attention. Elle pouvait le voir en train de se dire qu'elle ne crierait pas.

— S'il vous plaît, monsieur, dit-elle. S'il vous plaît, monsieur ; je n'aime pas ça.

Mais après un temps elle n'opposa plus de refus et garda le silence comme elle l'avait fait au début. Douze ans ou peut-être quatorze, se disait-elle à elle-même, demeurant éveillée dans sa chambre : aussi longtemps que ça, ou plus longtemps. Dans ses deux tenues différentes elle continuerait à être le signe extérieur de la position aisée de Mme Shaughnessy, et ses formes

ordinaires continuerait à susciter le désir de l'homme aux
cheveux gris. Grâce au champ, l'aspect de la ferme où son père
jadis marchait pieds nus allait changer. « Le champ de Kathleen »,
répétait souvent son père, et sa mère dirait à nouveau qu'un
marché c'était un marché.

Extrait de *The Collected Stories*.

LELAND BARDWELL

La coiffeuse

Ça a faisait pas mal de temps qu'on avait peint les maisons. Dans des tons pastel — des mauves, des roses, des gris. Le lotissement s'était étendu jusqu'aux hauteurs de Trevor's Hill, traversant l'ancien champ de moutons, faisant en bas une boucle qui ressemblait à une enclume jusqu'à donner presque l'impression que la montagne avait fait pousser une seconde croûte. Diverses tentatives de dérivation des cours d'eau avaient échoué, et l'eau coulait en liberté au milieu des jardins des habitants et pourrissait les fondations des maisons.

La peinture se craquelait, des bâtis de fenêtres se gondolaient : pas la moindre trace de sagesse on aurait dit dans la construction ininterrompue de nouvelles habitations, mais à la suite de la plus récente autorisation accordée par la ville, l'Administration locale avait sorti ses camions, ses grues et ses bulldozers et les avait entassés sur le chemin qui traversait le lotissement en ligne droite pour se perdre et s'arrêter en T en dessous des pentes plus haut.

Des fils électriques, des pylônes tombaient pendant les orages et étaient rarement réparés si bien qu'en hiver le lotissement restait le plus souvent dans le noir. Des choses bizarres se produisaient la nuit derrière ces portes fermées. Beaucoup de femmes entre deux âges dont les maris s'étaient enfuis ou avaient été emprisonnés recevaient des hommes — ceux qui sans domicile fixe parcouraient le pays — avec qui elles partageaient leur lit et l'aide sociale. De temps à autre une fille revenait avec une nouvelle couvée. Ces hommes venaient et repartaient ; les soucis de la maison, le manque d'argent, de jeunes enfants en pagaille et se chamaillant les faisaient fuir après quelques mois.

Les femmes faisaient de leur mieux et il n'était pas rare de voir une femme entre deux âges perchée sur sa toiture, tâchant d'appliquer un morceau de plastique ou d'attacher une corde sur un tronçon de gouttière. Comme bon nombre d'autres familles, Mona et sa mère avaient l'une des maisons sur les pentes plus haut. Victimes du pire temps d'hiver, elles passaient des heures à plâtrer, à sécher, à réparer les bâtis des fenêtres et à remplacer les tuiles. Avec une différence cependant : Mona était la seule du lotissement qui fréquentait le lycée. Le visage plutôt sans attrait avec des cheveux secs et en filasse et un corps carré, elle voulait surtout apprendre. Sa mère était décharnée et anguleuse et animée d'une énergie féroce.

Contrairement aux autres femmes elle plaisait à un certain type d'homme, plus incohérent, plus dépourvu de principes que la moyenne. Elle se donnait avec passion à ces hommes et se tordait de désespoir quand ils partaient.

Pour s'excuser auprès de Mona, sa mère disait habituellement « qu'elles étaient plus en sûreté avec un homme dans la maison ». Pauvre excuse, bien sûr, parce que les gangs de pilleurs avaient « fait » chaque maison et dans la leur il ne restait plus grand-chose à voler. Pour arrondir l'aide elles avaient vendu l'un après l'autre leurs meubles, leur téléviseur, leurs appareils de cuisine. Maintenant elles se débrouillaient avec le minimum nécessaire. Une vieille table de cuisine, au-dessus de laquelle une toile en plastique pendait, quelques chaises toutes simples, des matelas et un placard suffisaient à leurs besoins les plus élémentaires.

Seule la chambre de Mona était propre. Sa nature exigente faisait barrage à la saleté, et elle se retirait dans cette pièce aussitôt qu'elle avait préparé le dîner, ses livres de classe étalés devant elle, un bout de bougie éclairant le cercle rapproché sur le plancher et ses cheveux raides noués en queue de cheval elle se concentrait sur ses études à l'exclusion de toute autre chose.

À cette époque depuis quelques semaines un nouvel homme s'était installé dans la maison. Bien qu'il combinât toutes les complexités et toutes les manières sordides de ses prédécesseurs il gardait aux yeux de Mona une part de son mystère. Sa mère, tout le temps en attente, buvait ses discours − il faisait des discours des journées entières − affichant un monopole intellectuel en tout domaine. Cela agaçait Mona, qui avait un fin esprit mathématique, et ne faisait pas siennes nombre de ses conclusions illogiques. Cependant elle se taisait à cause de sa mère.

Aujourd'hui, elle avait décidé de nettoyer le linoléum. Tandis qu'elle grattait et curait entre les craquelures elle pouvait sentir son regard sur elle comme s'il était une chose physique. Elle se releva toute confuse ; sur ses genoux il y avait des ronds du sol boueux.

− Pourquoi tu t'agenouilles pas sur quelque chose ? il aboya dirigeant son regard vers ses jambes comme si elle avait été un jeune poulain dans son enclos.

− Ah, ferme-la, dit-elle.

Pour une fois elle avait perdu son calme :

− Si tu voulais bien bouger ton cul, j'irais plus vite.

Il la fixa avec colère, ses yeux immobiles comme des billes ; c'était ce qu'il y avait de plus troublant chez lui.

Pendant tout ce temps sa mère s'était tenue assise sur le bord de sa chaise à le regarder, avec l'air de quelqu'un qui attend que son enfant fasse ses premiers pas ; elle ne disait rien, allumant nerveusement une cigarette avec le bout de la précédente.

Mona se dirigea vers l'évier pour essorer sa serpillière :
elle tourna son regard vers lui, le jaugeant une fois encore. Il y
avait de la folie en lui, elle le sentait, dans sa façon de se tenir,
ses dents qui grinçaient, dans sa manière de parfois faire les cent
pas ; il était penché, ses coudes sur les genoux, son manteau
crasseux rejeté en arrière comme la page ouverte d'un almanach.
Ses mains s'agitaient comme s'il battait un jeu de cartes. Il
avait des mains étrangement délicates, des doigts effilés jusqu'aux
ongles nets de fille, mais des épaules puissantes qui saillaient.
Son visage était buriné et bosselé par les longues heures passées
au grand air. Oui, cet homme était différent des autres — sans
merci, luttant pour survivre — il y avait des qualités en lui, des
marques d'impatience et de rage qui échappaient à son contrôle.
Mona savait que c'était dangereux de répliquer ; elle regrettait
de ne pas s'être tue. Mais loin de contrarier sa mère, les rages
de l'homme semblaient la rendre plus soumise, plus caressante,
plus affectueuse que jamais. Ou bien peut-être elle aussi sentait
un danger ; Mona n'était pas sûre.

Quand elles étaient seules elle tâchait de mettre en garde
sa mère mais celle-ci touchait son front de sa main comme aurait
fait un amant et de l'autre prenait celle de Mona et disait :
« Ne t'inquiète pas chérie, tout cela prendra fin un jour. »

L'hiver avançait lentement. La neige apparaissait, fondait et
tombait à nouveau. Il était devenu impossible de réparer la toiture,
aussi elles recueillaient l'eau dans des seaux placés sous les fuites
les plus graves. Un après-midi de février alors que tombait une
pluie mêlée de neige, Mona revenant de son long trajet du lycée
— c'était le jour de l'aide et elles avaient acheté du cidre — les
trouva légèrement saouls tous les deux. Ils étaient assis au coin
du feu — une chaise de plus avait été sacrifiée — et il y régnait
comme une atmosphère de frivolité entre eux. Mais quand elle
entra il l'apostropha avec brutalité, finissant même par battre l'air
de son poing et disant : « T'es qu'une sale bribe de créature. »

Mona répliqua : « Pauvre type d'enculé toi-même. »

Un silence s'ensuivit. La peau des joues de sa mère s'était rembrunie de peur mais elle se leva — un animal tiré de son repaire — et lentement prit le pichet. Il leva son verre d'une façon machinale mais elle l'ignora et lui jeta le cidre dans les yeux.

La cuisine explosa. Chaises, table, volèrent en l'air ; et ils étaient tous les deux par terre ; les doigts de l'homme, ses doigts mobiles, se refermant, encore se refermant sur la gorge de sa mère et Mona criant, lui donnant des coups de pied de derrière jusqu'à ce qu'il tombe en arrière en hurlant tandis qu'il tâchait de s'essuyer les yeux avec sa manche. En une seconde sa mère fut debout, s'excusant, lui proposant un « autre essai ». Mais lui aussi était debout et se dirigeant vers la porte, sa large carcasse pliée comme une faux, ses bras maintenus rigidement écartés de son corps, se jeta hors de la maison, dans un claquement de porte. Stupéfaites les femmes se firent face dans l'espoir d'un message improbable. Mais déjà sa mère s'élançait pour le suivre.

— Laisse-le maman, laisse-le partir, pour l'amour de Dieu ! dit Mona en saisissant le jersey de sa mère.

— Non, non, il faut que je le sauve. Le sauver de la police, et elle se glissa hors de sa casaque comme un serpent en train de se débarrasser de sa peau et, à son tour, sortit de la maison en courant.

L'air froid de la montagne s'insinua dans l'entrée ; des bouffées couraient sous la natte et montaient le long de ses jambes tandis qu'elle fermait la porte de son épaule. Elle resta debout un instant, sachant maintenant que sa vie était au-delà du monde des deux là-bas. Elle était qui maintenant ? Mona la chanceuse, c'est ainsi qu'elle se voyait jadis, le seul membre de la famille qui eût évité le sort qui avait englouti tous les autres. Un frère tué par un conducteur qui avait fui, un autre dans la prison de Mountjoy pour un vol armé, une sœur morte — d'une

faute professionnelle d'un médecin, une autre partie pour
l'Angleterre pour avorter, qui n'était jamais revenue. Mona la
chanceuse qui avait il y a longtemps fait un pacte avec elle-
même : travailler et travailler, mettre à profit sa facilité à étudier,
utiliser son intérêt pour ce qui s'étendait au-delà de ce pauvre
petit bled, afin qu'un jour, un jour lointain, elle puisse entraîner
sa mère avec elle hors de cette terre abandonnée où les rats et
les chiens vivaient mieux qu'elles. Parallèlement à ce pacte
elle s'était promis de ne jamais permettre à un homme de toucher
ses parties intimes, de ne jamais succomber à l'enfer de l'amour
sexuel. Dans toutes les autres maisons, mile après mile, les filles
avaient donné naissance à des enfants et étaient déjà grand-
mères alors qu'elles n'avaient pas beaucoup plus que la trentaine.
Mais elle, Mona, marchait sur un sentier différent. Ou le faisait-
elle vraiment ? Est-ce qu'elle ne devrait pas simplement faire
ses valises, aller à son tour dans la nuit abstruse, se joindre aux
meutes de garçons et de filles, petits criminels qui se
débrouillaient en « faisant des chèques » ou en dépouillant les
faubourgs aisés de l'autre côté de la ville ?

Elle grimpa l'escalier, la bougie de nouveau allumée laissant
tomber de la cire chaude sur sa main. Dans sa chambre, ses
livres, ses amis, tous rangés en ordre, d'un coup étaient devenus
des étrangers, des étrangers comme les deux personnes qui
avaient fui dans l'obscurité implacable. Elle se mit à genoux,
prenant chaque livre et le caressant. Ceux qu'elle aimait le plus,
ceux sur les mathématiques quantitatives ou appliquées, elle les
tint longuement, avec ferveur, les ouvrant, aplanissant leurs
pages. Mais ça ne servait à rien. Ils s'opposaient à l'autre moitié
d'elle-même qui était sa fierté. Elle les rejeta au loin, alla à la
fenêtre, espérant voir sa mère en train de revenir seule. Mais la
rue était sombre, les maisons en bas de la colline abandonnées
comme une gare désaffectée. Elle laissa ouverte la fenêtre et
tomba sur le lit.

Un peu plus tard elle les entendit ; ils entrèrent dans le couloir. Ils parlaient à voix basse ; l'altercation était oubliée et Mona savait qu'une fois de plus elle se lèverait, ferait des courses, préparerait le dîner, et se comporterait comme si rien ne s'était passé.

Dans la boutique elle dépenserait les quelques pièces qu'elle possédait, argent qu'elle avait gagné de ses copains lycéens mieux lotis, ceux qu'elle aidait dans leurs devoirs ; la plus grande partie de l'aide de la mère disparaissait en cigarettes et en boisson, et durait plus ou moins un jour. Ainsi c'était à elle de les sauver du gouffre de l'inanition.

Elle contourna les tas de détritus, les tas de sable qui étaient là depuis des années. Elle essayait de se rappeler pour les éviter les flaques d'eau et les nids-de-poule les plus dangereux. Malgré tout ses chaussures s'emplirent d'eau glacée. Le trajet jusqu'à la boutique demandait habituellement à peu près vingt minutes − elle était à plus d'un mile de distance − et puisque il était presque six heures Mona se mit à courir.

Le froid féroce de ce jour-là fut la chose qui plus que toute autre demeura dans la mémoire de Mona. Comment des papiers sales avaient volé en l'air devant ses pieds alors qu'elle s'était mise à courir pendant les derniers mètres jusqu'à la maison ; comment le grand vent avait sans répit transpercé sa poitrine et comment elle avait relevé autour de son menton le col si peu fait pour cela. Il n'avait jamais été facile d'enfoncer la clé dans la serrure et elle se dit qu'elle mettait plus de temps que d'habitude, ses doigts bleuis luttant et se tortillant. Mais sous la pression du vent la porte s'ouvrit et un verre chuta au bout du couloir − un verre empli de fleurs mortes − et de l'eau goutta rapidement sur le plancher. Elle ne vit pas tout d'abord sa mère ; l'homme n'était pas dans la cuisine et Mona supposa qu'ils étaient montés à l'étage pour achever de sceller leurs retrouvailles.

De sorte que Mona commença à déballer la nourriture avant de voir le sang. En fait ce fut au moment où elle allait jeter le sac plastique d'emballage dans la poubelle que ses yeux tombèrent sur la flaque noire en train de se répandre. Et avant que l'horreur se fût tout à fait emparée d'elle sa première pensée fut que le corps contient huit pintes de sang − un gallon − et que c'était cela qui maintenant allait s'élargir sur le plancher, s'insinuer dans les craquelures du linoléum, rendre tout noir et visqueux. Oui, il lui avait tranché la gorge avec le couteau de cuisine et avait laissé le corps recroquevillé à moitié dissimulé par le morceau de toile plastique qui pendait sur le plateau de la table.

Mais les années avaient maintenant passé. Le meurtre était juste devenu une histoire lointaine dans le lotissement, une de plus, une de ces nombreuses histoires d'assassinats et de viols. Le terrain de foot, qui avait été un temps un lieu de récréation, était devenu désormais un cimetière pour les gens qui mouraient tous les jours de maladies consécutives de la malnutrition et qui étaient empaquetés dans la terre. Il y avait des milliers de chiens qui se pressaient à ces « funérailles » et qui, la nuit venue, déterraient les corps et les mangeaient. Rapidement les gens avaient cessé de s'en soucier et laissaient les corps non encore en terre aux charognards. Tout le monde feignait ne pas avoir mangé de chair humaine.

Et que devenait Mona ?

Après le meurtre de sa mère le fou avait disparu et n'avait jamais été retrouvé − sans doute s'était-il installé avec quelque autre femme solitaire. Mona avait abandonné ses études et avait commencé à travailler dans un faubourg plus prospère comme apprentie coiffeuse. Elle continuait à vivre dans la même maison qui était maintenant propre et bien tenue, la toiture bien réparée et les gouttières alignées. Elle n'avait pas d'amis et sortait peu la nuit venue. Mais comme le pays s'enfonçait de plus en plus dans la misère, les riches, derrière leurs miradors armés et leurs barbelés, s'accrochant à leur « liberté » utopique, les emplois dans les faubourgs plus nantis disparaissaient l'un après l'autre, si bien que, n'ayant rien à faire, Mona reprit la vieille boutique de quincaillerie et en fit un salon à elle. Personne ne pouvait payer, aussi elle acceptait ce qu'ils pouvaient donner, du cresson, qui proliférait encore sur les collines – jusqu'aux morceaux de nourriture volée à des gens de passage dont la capacité de survie était plus grande que la leur.

Les gens auraient fait n'importe quoi pour se faire coiffer par Mona. C'était le seul divertissement qui leur restait. Des hommes, des femmes et des enfants venaient en grand nombre tout heureux de faire la queue pendant des heures, leur expression absente momentanément illuminée par anticipation narcissique. Oui, ils n'avaient rien à faire. La révolution qu'à une époque les gens avaient appelée de leurs vœux s'était volatilisée dans les années quatre-vingt-dix. La seule façon pour eux de s'exprimer aurait été de lutter contre les gangs des milices qui tenaient la ville sous la contrainte de la violence. Mais cela aurait exigé un long déplacement en ville et les gens étaient trop mal nourris pour le faire. Aussi Mona coupait et teignait et faisait des permanentes de neuf à six ; la mathématicienne en elle se complaisait quand il fallait définir une coiffure plaisante. Elle était devenue maigre, comme sa mère, et ses yeux profonds et bruns surveillaient ses « clients », supputant le sens de leurs tresses avec le même regard fixe qu'avait sa mère pour épingler ses amis.

L'odeur du terrain de foot se faisait envahissante tandis que les gens admiraient leurs reflets dans le miroir ; par moments la fente pourpre et les craquelures flattaient ou cachaient leurs traits grisâtres, leurs orbites creuses, leur peau qui pendait.

Mais Mona ne se souciait pas du tout de cela, mais se souciait ô combien d'être experte. Si une personne bougeait la tête elle tombait tout à coup dans une rage qui faisait suffoquer. Un jour, elle le savait, elle allait tuer l'un de ses clients avec les ciseaux, elle l'assassinerait avec le même sang-froid et de la même façon sanguinaire qu'avait été assassinée sa mère. Elle les découperait morceau après morceau, d'abord les oreilles, et puis elle enfoncerait les ciseaux dans leurs narines et ainsi de suite et ainsi de suite.

Extrait de *Different Kinds of Love*.

BERNARD MAC LAVERTY

Dessin d'après nature

Quand la nuit fut tombée et qu'il ne fut plus possible de contempler le paysage à travers la vitre du train, Liam Diamond entama la lecture de son livre. Il dut ôter ses pieds de la banquette qui lui faisait face et choisir une position moins confortable pour qu'une femme puisse s'asseoir. Chevaline, dans la cinquantaine, il ne la regarda pas deux fois. Cherchant à se distraire de ce qui allait venir il se mit à à se concentrer. Le livre était une étude sur le peintre viennois Egon Schiele, qui, semblait-il, s'était à ce point amouraché de ses filles-modèles de treize ans qu'il avait fini en prison. Cela lui rappela Augustus John : « Pour peindre quelqu'un il faut d'abord coucher avec », et il sourit. Les portraits de Schiele − pour la plupart des autoportraits − explosaient de la page voisine du texte, distrayant sa lecture. Rien que tendon, cartilage, distorsion. Il y avait quelque chose de décadent en eux, comme dans les tableaux de Soutine avec des quartiers de bœufs supendus. De temps à autre il levait la tête pour voir s'il savait où il était mais il ne voyait que l'obscurité et son propre reflet. Les réverbères des petites villes montraient chaque fois plus de neige sur les routes à mesure qu'il avançait vers le nord. Pour s'étirer il alla aux W.-C. et remarqua les

visages en passant au milieu des banquettes. Comme des
animaux en train d'être transportés. En revenant il vit un
échantillon de visages totalement différents, mais il savait que
leur aspect était le même. Il détestait les voyages en train, tant
de gens, tant de maisons à voir. À cause d'eux il se rendait
compte qu'il faisait partie des choses, qu'il eût aimé cela ou
non. De voir un si grand nombre de gens inconnus derrière
leurs fenêtres, debout face aux boutiques, marchant dans les
rues, faisant des signes de façon mécanique aux passages à
niveau, avait pour résultat de les rendre amorphes et
répugnants. Ils menaient leur vie immobile alors que lui il
avait le sentiment d'être en mouvement. Et encore il savait
que ce n'était pas le cas. À un moment quelconque n'importe
lequel de ces gens pourrait rouler en train devant son
appartement et le voir tirer ses rideaux. Cette pensée l'affecta
suffisamment pour qu'il s'arrête de lire. Il posa sa tête contre
la vitre et même s'il avait les yeux fermés il ne dormit pas.

La neige, fondue et très vite recongelée, crissait sous ses
pieds et rendait la marche difficile. Un moment il ne fut pas
sûr de pouvoir reconnaître la maison. Dans le noir il lui fallut
l'identifier grâce au numéro et il dut protéger ses yeux de la
lumière éblouissante des réverbères à sodium pour distinguer
les chiffres sur les petites portes à terrasse. Il lut 56 et marcha
trois maisons plus loin. Le lourd marteau de fer forgé se
répercuta dans le couloir comme il avait toujours fait. Il
attendit, regardant en haut vers l'imposte en demi-cercle. La
neige commençait à tomber, de tout petits flocons tourbillon-
nants dans le halo de lumière. Il allait frapper une deuxième
fois ou bien regarder pour voir s'il n'y avait pas une sonnette
quand il entendit des pas traînants derrière la porte. Elle
s'ouvrit de quelques centimètres et une femme âgée à cheveux
blancs scruta du regard vers l'extérieur. Ses cheveux étaient

retenus par un filet d'un ton différent de la couleur de ses cheveux. C'était une des demoiselles Hart, mais malgré ses efforts il ne parvint pas à se rappeler laquelle c'était. Elle le regarda, ne saisissant pas.

— Oui ?

— Je suis Liam, dit-il.

— Oh, que Dieu soit loué. Nous sommes si contentes que vous ayez pu venir.

Puis elle cria en tournant la tête :

— C'est Liam.

Elle se traîna vers l'arrière, ouvrit la porte et le fit entrer. Dans la maison elle lui serra la main en tremblant, puis prit son sac et le posa à terre. Comme ferait une servante, elle prit son manteau et l'accrocha au porte manteau du hall. Il était toujours au même endroit et le couloir avait la même couleur jaune foncé électrique.

— Berthe est en haut en ce moment avec lui. Vous nous excuserez d'avoir expédié un télégramme à l'Université mais nous pensions que vous aimeriez savoir, dit Mlle Hart.

Si Berthe était en haut alors ce devait être Maisie.

— Oui, oui, vous avez bien fait, dit Liam. Comment va-t-il ?

— Pas bien. Le médecin vient de partir — il avait une autre visite. Il a dit que votre père ne va pas passer la nuit.

— C'est vraiment trop bête.

À ce moment-là ils étaient debout dans la cuisine. L'âtre de la cheminée était sombre et vide. Une seule résistance du convecteur chassait le froid de la pièce mais sans plus.

— Vous devez être fatigué, dit Mlle Hart, c'est un tel voyage. Voudriez-vous une tasse de thé ? Ah oui, je comprends, montez et je vous apporterai votre thé quand il sera prêt.

— Oui, merci.

Quand il atteignit la dernière marche elle l'appela.

— Et faites descendre Berthe.

Il trouva Berthe sur le pallier. Elle était petite et rabougrie et sa tête arrivait à la hauteur de la poitrine de Liam. Voyant Liam elle se mit à pleurer et tendit ses bras dans sa direction, disant :

— Liam, pauvre Liam.

Elle se blottit contre lui, pleurant.

— La pauvre chère âme, ne cessait-elle de répéter.

Liam était gêné de sentir les maigres bras de cette vieille femme qu'il connaissait à peine lui enserrer les reins.

— Maisie dit que vous devez descendre maintenant, dit-il, se détachant d'elle et tapotant son dos voûté.

Il la regarda descendre l'escalier, une marche à la fois, chancelant, se retenant à la rampe, ses phalanges rhumatisantes saillantes comme des patelles.

Il hésita à la porte de la chambre et sans qu'il sût pourquoi étira ses mains avant d'entrer. Il fut choqué de voir l'état de son père. Celui-ci était maintenant presque totalement chauve sauf quelques touffes de cheveux au-dessus des oreilles. Ses joues étaient creuses, sa bouche pendait ouverte. Sa tête était renversée sur l'oreiller laissant apparaître les tendons de son cou qui saillaient.

— Hello, c'est moi, Liam, dit-il quand il fut près du lit.

Le vieil homme ouvrit les yeux en battant des paupières. Il essaya de parler. Liam dut se pencher mais il ne parvint pas à deviner ce qu'il disait. Il tendit la main et souleva celle de son père pour un semblant de poignée amicale.

— Besoin de quelque chose ?

Son père fit un signe affirmatif d'un léger mouvement du pouce.

— Quelque chose à boire ?

Liam versa de l'eau et porta le verre jusqu'aux lèvres du vieil homme. Des cercles d'écume s'étaient formés aux

commissures de sa bouche affaissée. Un peu d'eau tomba
sur le drap. Elle demeura un moment sous forme de
gouttelettes avant de s'enfoncer en ronds sombres.

— C'est ce que tu voulais ?

Le vieil homme fit non de la tête. Liam regarda autour de
lui, essayant de deviner ce que son père pouvait bien désirer.
La pièce était exactement comme dans son souvenir. En l'espace
de vingt ans son père n'avait pas remplacé le papier peint, des
roses jaunes formant des boucles sur une treille ombreuse. Il
souleva une chaise à dossier droit et la tira près du lit. Il s'assit
les coudes sur les genoux, se penchant en avant.

— Comment te sens-tu ?

Le vieil homme ne répondit pas et la question tournoyait
en silence dans la tête de Liam comme un écho.

Maisie apporta le thé sur un plateau, repoussant de son
coude la porte derrière elle. Liam remarqua les deux taches
rouges qui étaient apparues sur ses joues. Elle se mit à
bredouiller des paroles embarrassées, regardant l'un à la suite
de l'autre le moribond et son fils.

— Nous n'avons pu découvrir où il range la théière, aussi
ce n'est qu'un sachet de thé dans une tasse. Est-ce que ça ira ?
Est-ce que vous aurez assez à manger ? Nous avons envoyé
chercher du jambon en boîte, juste au cas. Il n'avait rien dans
la maison, absolument rien. Que Dieu le bénisse.

— Vous avez très bien fait, dit Liam. Vous n'auriez pas dû
vous donner tant de mal.

— Si l'on ne peut pas faire pour un voisin comme M.
Diamond — eh bien ? Quarante-deux ans et pas le moindre
différend entre nous. Un gentleman, c'est toujours ce qu'on
disait de lui, Berthe et moi. Il ne se montrait pas beaucoup.
Vous pensez qu'il peut nous entendre ?

Le vieil homme ne bougea pas.

— Il est comme ça depuis combien de temps ? demanda Liam.

— Tout juste trois jours. Un jour il n'a pas pris son lait et ça, ça ne lui ressemblait pas, vous savez. Il avait laissé une clef à Mme Rankin, au cas où il se retrouverait de nouveau sans clef — ça s'est produit une fois — le vent avait fait claquer la porte — et elle est entrée et l'a trouvé dans cette position dans un fauteuil en bas. Il était complètement froid, Dieu le bénisse. Le docteur a dit que c'était une attaque.

Liam acquiesça d'un mouvement de la tête, regardant son père. Il se leva et se mit à doucement reconduire la femme jusqu'à la porte de la chambre.

— Je ne sais comment vous remercier, Mlle Hart. Vous avez été plus que bonne.

— Nous avons eu votre adresse par votre frère. Mme Rankin a téléphoné en Amérique mardi.

— Il revient ici ?

— Il a dit qu'il allait esssayer. Elle a dit que la ligne était parfaitement claire. C'était comme de parler avec la maison à côté. Oui, il a dit qu'il allait essayer, mais qu'il pensait que ce ne serait pas possible.

Elle avait la main sur la poignée de la porte.

— Est-ce que c'est assez comme sandwichs ?

— Oui, merci, ça va très bien.

Ils restèrent à se regarder l'un l'autre, gênés. Liam fouilla dans sa poche.

— Je voudrais vous rembourser pour le jambon… et le télégramme ?

— Vous n'y pensez pas, dit-elle. Allons, Liam, il ne faut pas m'insulter.

Il sortit sa main de sa poche et la remercia en souriant.

— Il se fait tard, dit-il, peut-être devriez-vous vous en aller maintenant et je resterai auprès de lui.

— Très bien. Le prêtre était ici plus tôt et lui a donné…

Elle chercha les mots en s'aidant de ses mains.

– … L'extrême onction ?

– Oui. Ça fait deux fois qu'il est venu ici en trois jours. Très attentionné. Quelquefois je me dis que si notre clergé était à moitié aussi bon…

– Oui, mais il n'était pas ce qu'on pourrait appeler un affamé de l'Évangile.

– Dernièrement il l'était, dit-elle.

– Les temps ont changé.

S'apprêtant à faire demi-tour pour partir elle dit, souriant timidement :

– Je vous ai à peine reconnu avec votre barbe.

Elle leva les yeux pour le contempler, secouant la tête, incrédule. Il cherchait à la faire partir, ne la quittant pas, mais elle se glissa derrière lui et se rendit jusqu'au lit. Elle toucha l'épaule du vieil homme.

– Je m'en vais, maintenant, M. Diamond. Liam est ici. Je vous verrai demain matin, cria-t-elle dans son oreille.

Puis elle s'en alla.

Liam perçut les voix des vieilles femmes dans le couloir en bas, puis le claquement de la porte sur la rue. Il entendit le craquement de leurs pieds sur la neige verglacée sous la fenêtre. Il prit le plateau sur la commode et le posa sur ses genoux. Il ne s'en était pas rendu compte, mais il avait faim. Il mangea les sandwichs et le morceau de cake aux fruits, conscient du bruit qu'il faisait avec sa bouche en mastiquant dans le silence de la chambre. Il y avait peu de chance qu'en un pareil moment son père s'en mêle. Jadis là-dessus ils avaient des échanges de mots terribles. C'était presque une question de vie ou de mort. Il arrivait qu'à table son père se mette dans des rages folles en regardant la manière dont ses fils mangeaient, à cause de leur gloutonnerie, comme il disait. À cause du bruit qu'ils faisaient « comme des vaches sortant de leur litière ». Quand sa mère les eut quittés son père s'occupa de tout. Un

soir, comme celui-ci servait des saucisses dans une poêle,
Liam, ne s'étant pas rendu compte qu'il était d'humeur
exécrable, avait voulu s'emparer de la saucisse. Son père avait,
dans un mouvement soudain vers le bas, enfoncé à l'arrière
de la main de Liam la fourchette qu'il avait utilisée pour cuire
les saucisses :

— Tu dois te contrôler.

Quatre perles luisantes de sang étaient apparues, que Liam
avait fixées, incrédule.

— Elles te rappelleront à l'avenir que tu dois utiliser une
fourchette.

Il avait seize ans à l'époque.

La chambre était glaciale et quand finalement il prit le
temps de boire son thé celui-ci était tiède. Cela l'irritait de ne
pouvoir le réchauffer en en versant un peu plus dans la tasse.
Ses pieds étaient paralysés et étaient probablement humides.
Il descendit, enfila son manteau et monta dans la chambre
le convecteur électrique, mettant en même temps la deuxième
résistance. Il resta assis accroupi au-dessus, ses mains étendues
doigts écartés, tâchant de se réchauffer. il y eut une sorte de
cliquetis au moment où la deuxième résistance se mit à
rougeoyer et il sentit l'odeur de la poussière qui brûlait. Il
regarda vers le lit mais il n'y avait aucun mouvement.

— Comment tu te sens ? dit-il de nouveau, sans attendre
une réponse.

Pendant un long moment il resta assis fixant le vieil
homme, dont la respiration était perceptible mais calme —
une sorte de sifflement doux dans le nez. Le réveil, son cadran
zébré par une fêlure, annonçait minuit et demi. Liam vérifia
l'heure aux chiffres rouges de sa montre digitale. Il se leva
et alla à la fenêtre. Dehors les toits inclinaient leurs angles
blancs couverts de neige. Une gouttière en mauvais état
supportait des pointes de stalactites. Il n'y avait pas de bruit

dans la rue, mais de la route principale s'approcha le ronflement lointain d'une voiture tardive qui faiblit jusqu'au silence.

Il sortit sur le pallier et entra dans ce qui était autrefois sa chambre. Il n'y avait pas d'ampoule quand il déclencha l'interrupteur et il en prit une du couloir et la vissa dans la douille sans abat-jour. Le lit était dans le coin avec son matelas à rayures bleues. Le linoléum était le même, avec ses empreintes carrées montrant les traces d'autres endroits où le lit avait été. Les rideaux verts bon marché qui n'arrivaient pas tout à fait à se joindre sur leur tringle n'y arrivaient toujours pas.

Il se dirigea vers le placard dans le mur près de la petite cheminée et dut tirer avec force la poignée pour l'ouvrir. À l'intérieur, la surface de chaque objet s'était opacifiée de poussière. Deux vieux postes de radio, l'un avec le devant à découpures, l'autre plus moderne avec son bouton de recherche des stations montrant diverses chaînes comme Hilversum, Luxembourg, Athlone ; un tourne-disques Dansette avec son couvercle qui manquait et son bras retourné en arrière, laissant voir des fils ressemblant à des nerfs et à des vaisseaux sanguins sectionnés ; le cadre vide de l'image sur verre qui avait été écrasé était toujours là ; plusieurs parapluies, tous cassés. Et il y avait sa boîte de gouaches. Il la sortit et souffla dessus pour en chasser la poussière.

C'était une grande boîte métallique Quality Street et il ôta doucement le couvercle, le coinçant contre les muscles de son estomac. Les couleurs dans les bocaux s'étaient rapetissées en disques durs. Vert viride, vermillon, jaune jonquille. Au fond de la boîte il trouva plusieurs bâtons de fusain, légers entre ses doigts quand il les prit, déformés. Il les fit tomber dans sa poche et remit la boîte en place dans le placard. Il y avait une pile de magazines et de papiers et sous elle reconnut son grand carnet à dessins Winsor et Newton. Il le sortit avec précaution et se mit à regarder le travail à l'intérieur. Ce qu'il éprouva le plus ce fut de l'embarras, tournant les pages, regardant le travail de cet écolier. Il n'y voyait guère la marque du talent, mais il se dit qu'il avait été bon. Il y avait plusieurs dessins de mains en pastel rouge qui promettaient. Les autres pages étaient blanches. Il posa le carnet de dessins à côté de lui pour le prendre et ferma la porte.

Jetant un regard circulaire dans la pièce, il prit conscience de son apparente nudité. Il se baissa pour regarder sous le lit, mais il n'y avait rien. Ses doigts touchant le linoléum glacé lui firent saisir à quel point il était gelé. Ses mâchoires étaient serrées et il savait que s'il se relâchait il se mettrait à frissonner. Il revint à la chambre de son père et s'assit.

Le vieil homme n'avait pas changé de position. Il avait voulu que Liam devienne avocat ou médecin mais Liam avait insisté, bien qu'il eût décroché une bourse à l'université, pour aller à l'école d'art. Pendant tout l'été son père avait fait des pieds et des mains pour l'en empêcher. Il avait tenté de raisonner avec Liam :

— *Sois* quelqu'un. Alors tu continues à pratiquer ton art. L'art c'est bien comme à côté.

Mais le plus souvent il criait contre Liam :

— J'ai entendu parler de ces étudiants en art et de ce qu'ils peuvent faire. Des garces sans vergogne caracolant avec rien sur le dos. Et quel genre de travail tu feras ? Tu dessineras sur les trottoirs ? Il le tançait chaque fois qu'ils passaient du temps ensemble à propos d'autres choses. Comme de rester tard au lit, la longueur de ses cheveux, son allure excentrique. Pourquoi est-ce qu'il ne faisait pas comme les autres garçons qui se trouvaient un travail pour l'été ? Il n'était pas trop tard parce que le père serait tout content de le rémunérer s'il venait et aidait à la boutique. Un soir, juste au moment où il allait se coucher, Liam avait trouvé la vieille estampe encadrée du bétail qui s'abreuvait. Il avait décollé le verre et avait commencé à peindre à même sur sa surface avec des petites boîtes de peinture en émail Humbrol qui restaient des kits de modèles réduits d'avions qu'il n'avait jamais terminés. Elles faisaient une étrange texture excitante qui était même mieux quand la peinture était vue de l'autre côté de la plaque de verre. Il restait nu jusqu'à l'élastique de son pyjama à peindre un autoportrait reflété par le miroir de la porte de sa penderie. La texture crémeuse et opaque de la peinture l'excitait. Elle glissait sur le verre, il l'empilait. Par endroits elle coulait en festons comme des rideaux de cinéma, mais pourtant il pouvait la retenir. Il perdait la notion du temps en restant assis les yeux fixés sur le visage qui en retour le fixait et le portrait qu'il essayait d'en faire. Il devenait un visage qu'il ne connaissait pas, les trous, les lignes, les taches. Il était dans une nouvelle géographie.

Son frère et lui s'amusaient à un jeu qui consistait à observer chacun le visage de l'autre à l'envers. L'un des deux était étendu sur le dos à travers le lit, sa tête pendant sur le côté, s'empourprant à cause du sang qui y affluait. L'autre demeurait assis sur une chaise et le fixait. Avec le temps l'horreur de voir les yeux là où la bouche aurait dû être, le nez inversé, le front barré de lèvres rouges, l'obligeait à se cacher les yeux dans ses mains.

— C'est ton tour maintenant, disait-il, et ils changeaient de place.

C'étaient des mots familiers prononcés l'un à la suite de l'autre jusqu'à ce qu'ils se vident de tout sens, et quand il ne pouvait plus s'appuyer sur le sens d'un mot cela devenait terrifiant, une incantation. Dans son adolescence il avait fini par haïr son frère, ne parvenait pas à s'habituer à sa présence physique, tout comme quand il était couché à l'envers sur le lit. C'était la même chose avec son père. Cela lui était insupportable de le toucher, et pourtant pendant tout un hiver alors que son le père avait mal à une épaule il avait dû veiller tard pour le masser avec de l'huile de pyrrole. Le vieux était resté assis une hanche contre le lit et Liam s'était tenu debout derrière lui faisant pénétrer le produit nauséabond dans la chair blanche de son dos. L'odeur, la façon avec laquelle la peau élastique bougeait sous ses doigts l'avaient presque fait vomir. Il s'était lavé les mains à n'en plus finir, à l'école le lendemain il dégageait encore un relent d'huile de pyrrole.

À cause peut-être de l'odeur de la peinture Humbrol ou bien du filet de lumière sous la porte de Liam — quoi que ce pût être — son père était entré et s'était mis à crier qu'il était trois heures et demie du matin et bon Dieu que s'imaginait-il faire, assis à-demi nu à dessiner à cette heure de la nuit ? Il l'avait frappé de toute la force de la paume de sa main sur son dos nu, et, aiguillonné par la douleur Liam s'était redressé sur ses pieds pour se venger. Alors son père s'était mis à rire, un rire froid et cynique. « Tu le ferais ? Tu le ferais ? Est-ce que tu le ferais ? » n'avait-il cessé de répéter avec un sourire déformant sa bouche et ses poings faisant saillir ses phalanges devant lui. Liam avait battu en retraite jusqu'à son lit et son père avait tourné les talons et était parti. Réfléchissant à l'incident, Liam avait serré les poings et maudit son père. Il avait détourné la tête par-dessus son épaule dans la direction du miroir et vu l'empreinte grossière de la main de son père, des doigts écartés tracés à travers son dos. Il avait entendu son père dans l'escalier et quand celui-ci était revenu dans la chambre avec un tisonnier dans une main il s'était senti pris de colique. Mais son père avait tourné la tête avec un ricanement et d'un seul geste avait fait voler la peinture en éclats. Et au moment de franchir la porte, il avait dit :

— Attention à tes pieds demain matin.

Il n'avait jamais vraiment « quitté le nid ». Il s'était bien plutôt agi d'aller à une école d'art à Londres et de ne pas prendre la peine de revenir. Presque aussitôt qu'il avait été loin de la maison sa haine pour son père avait diminué. Simplement il cessa de penser à lui. Ces derniers temps il s'était demandé si son père était vivant ou mort — s'il avait encore la boutique. Le seul lien qu'ils avaient eu durant ces années c'était lorsque Liam lui envoyait, non sans un brin de provocation, des invitations pour quelques-uns des vernissages de ses expositions.

Liam restait assis le bout de ses doigts collés l'un contre l'autre, fixant le vieil homme. La nuit allait être longue. Il regarda sa montre et il n'était qu'un peu plus de deux heures.

Il fit les cent pas dans la pièce, écoutant le bruit mat de la neige sur la vitre. Quand il s'arrêta pour regarder en bas, il la vit tournoyant à travers les halos des réverbères. Il se rendit à sa propre chambre et revint avec le carnet à dessins. Il déplaça sa chaise de l'autre côté du lit afin que la lumière tombe sur sa page. Mettant le carnet en équilibre sur son genou, il se mit à dessiner la tête de son père avec le bâton de fusain. Le bâton faisait un léger crissement à chaque fois qu'une ligne apparaissait sur le papier à dessin. Quand il dessinait il se voyait toujours comme un animal sur ses gardes en train de s'abreuver, sa façon de regarder son sujet de haut en bas et encore de haut en bas. Le vieil homme avait beaucoup baissé. Sa tête creusait à peine les oreillers, ses joues étaient rentrées et il n'avait pas été rasé depuis plusieurs jours. Plus tôt, quand il avait pris la main de son père, il l'avait sentie propre et sèche et légère comme la main d'une fille. La lumière à côté du lit approfondissait les ombres de son visage et faisaient sortir les ramifications des veines sur sa tempe. Cela faisait un bon bout de temps qu'il n'avait pas utilisé du fusain et il s'absorba dans la manière avec laquelle il fallait le manier

et dans les diverses subtilités de ligne qu'il pouvait obtenir.
Il aimait regarder un dessin prendre forme devant ses yeux.

Son travail avait été favorablement accueilli et dans le petit
monde artistique de Dublin il était plutôt bien apprécié — à
juste titre, pensait-il. Mais quelques critiques avaient égratigné
son œuvre lui reprochant d'être « froide » et « formaliste ». L'un
d'eux avait écrit « comme celle de Mondrian sauf qu'il ne
pouvait pas tracer une ligne droite » — et cela le peinait parce
que c'était précisément ce qu'il voulait faire. Il se disait qu'il
n'était pas équitable qu'il fût critiqué parce qu'il avait atteint
son but.

Son père eut une quinte de toux — un bruit sourd, mouillé
et bouillonnant. Liam se pencha en avant et toucha doucement
le dos de sa main. Est-ce qu'il fallait blâmer cet homme de
quelconque manière ? Où est-ce qu'il n'avait que lui-même
à blâmer à cause des ratages de sa vie ? Il s'était marié une
fois et avait vécu avec deux autres femmes. En ce moment il
n'avait que lui-même. Chaque liaison s'était terminée dans
la haine et dans l'amertume, pas à cause de l'alcool ou d'un
manque d'argent, ou d'une quelconque des raisons habituelles,
mais à cause d'une nauséeuse antipathie mutuelle.

Il tourna la page et reprit le dessin du vieil homme. Les
variations des tons du noir pur jusqu'au gris pâle, selon la
pression qu'il mettait, le fascinaient. Les yeux aux paupières
tombantes du vieil homme, les touffes de poils sortant de
l'oreille voisine de la lumière, l'obscurité de la bouche à moitié
ouverte. Liam exécuta plusieurs autres dessins, absorbé,
travaillant lentement, raffinant la ligne de chacun d'entre eux
jusqu'à ce qu'elle finisse par le satisfaire. Il était content de
ce qu'il avait fait. À l'école d'art il avait aimé plus qu'aucun
autre le cours de dessin d'après nature. Cela l'étonnait toujours
de voir comment quelquefois ça sortait juste comme il fallait,
mieux qu'il ne l'avait espéré ; le sentiment que quelque chose

était en train de travailler à travers lui pour produire une
œuvre supérieure à celle d'abord envisagée.

Puis il entendit à l'extérieur le bruit d'un moteur suivi du
tintement des bouteilles de lait. Quand il regarda sa montre
il fut étonné de voir qu'il était cinq heures et demie. Il se
pencha pour parler à son père :

— Tu vas bien ?

Sa respiration n'était pas perceptible et quand Liam toucha
son bras il était froid. Son visage était froid aussi. Il chercha
dans la direction du cœur, sa main glissée à l'intérieur de la
veste de pyjama, mais ne put rien sentir. Il était mort. Son
père. Il était mort et la mollesse de sa mâchoire pendante
dérangea son fils. À la lumière de la lampe son visage mort
ressemblait à la lune bouche ouverte. Liam se demanda s'il
devait l'attacher avant qu'elle ne soit rigide. Dans un film de
Pasolini il avait vu la mâchoire d'Hérode au moment où on
l'attachait et il se demanda s'il serait capable de le faire pour
son père.

Puis il se vit en train d'hésiter, se rendit compte qu'il
n'éprouvait pas la moindre émotion en examinant le problème.
Il savait que son être intérieur était insensible et n'avait pas
d'espoir d'y remédier. C'était la raison pour laquelle toutes
ses femmes l'avaient quitté. L'une d'entre elles l'avait accusé
de faire l'amour comme on dégorge les conduits.

Il s'agenouilla à côté du lit et chercha à se rappeler quelque
souvenir heureux des jours passés avec son père. Rien d'autre
ne vint que colère, sarcasmes et criailleries. Il savait qu'il
reconnaissait avoir été élevé mais il ne pouvait pas *ressentir*
cela. Si son père n'avait pas été présent quelqu'un d'autre
l'aurait fait. Et pourtant cela n'avait pas dû être facile — un
homme abandonné avec deux garçons et une affaire qu'il fallait
faire tourner. Il s'était tué au travail dans son débit de tabac,
ouvrant à sept heures du matin pour avoir les ouvriers et

fermant à dix heures le soir. Est-ce que c'était pour les garçons qu'il avait trimé si dur ? L'homme avait l'habitude de gagner de l'argent mais il ne dépensait jamais. Il avait même ouvert trois heures le jour de Noël.

Liam fixait le visage mort et vide et tout d'un coup la bouche dans cette position lui rappela quelque chose de plaisant. C'était la seule histoire drôle que son père eût jamais racontée et pour compenser la médiocrité de son répertoire il la répétait sans désemparer ; c'était l'histoire de deux bateaux qui se croisent au milieu de l'Atlantique. Il joignait toujours ses mains en forme de mégaphone pour la raconter.

« — Quelle est votre destination ? crie un capitaine.

— Rio de — Janeir— io. Quelle est votre destination ? »

Et l'autre capitaine, pour ne pas être en reste, lance sa réponse :

«— Cork — a — lork — a — lor -io. »

Quand il avait fini de raconter son histoire il ne manquait jamais de répéter la dernière réponse, riant et secouant la tête, n'en revenant pas que cela pût être si drôle.

« — Cork — a — lorka — lorio. »

Liam se rendit compte que ses yeux s'étaient emplis de larmes. Il essaya de les empêcher de venir mais elles venaient. À la fin il dut les fermer et une larme perla de son œil gauche sur sa joue. C'était une petite larme et il l'essuya de son index replié.

Il se releva de sa position agenouillée et referma le carnet à dessins qui resta ouvert sur le lit. Il pourrait peut-être travailler les dessins plus tard. Peut-être une série de fusains. Il marcha jusqu'à la fenêtre. L'aube ne pointerait pas avant quelques heures. Aux États-Unis il devait faire jour et son frère devait être en bras de chemise. Il lui faudrait attendre jusqu'à ce que Mme Rankin soit debout pour téléphoner à son frère — et aurait besoin du docteur pour un certificat de décès. Il n'y avait rien qu'il pouvait faire pour le moment, sauf peut-être attacher la mâchoire. Les demoiselles Hart quand elles arriveraient sauraient tout ce qui était à faire.

Extrait de *A Time to Dance and Other Stories.*

ITA DALY

La dame aux souliers rouges

L'Ouest de l'Irlande est, comme chaque écolier sait, cette partie du pays d'où Cromwell[1] bannit les autochtones hérétiques après avoir avec succès dominé la nation. Aujourd'hui, elle est plus que jamais appauvrie et nue, désolée et solitaire et se tapissant dans la crainte de la sauvagerie de l'Atlantique qui bat son rivage avec toute la furie qu'elle a accumulée sur plus de trois mille miles. Mais l'Ouest de l'Irlande peut être aussi beau à pleurer ; et lors d'une belle matinée d'avril avec l'odeur des ajoncs et le trèfle qui emplit l'air et les abeilles qui montrent aussi loin que le regard porte le seul témoignage d'activité dans un paysage dépeuplé — lors d'une telle matinée dans l'Ouest de l'Irlande il est possible d'avoir une petite idée du paradis.

C'est paradoxal mais cela me plaît énormément que nous en tant que famille nous soyons si fortement attachés à l'Ouest. Nos ancêtres, voyez-vous, vinrent avec Cromwell, des fantassins qui courageusement ont combattu et qui ont été généreusement récompensés et depuis n'ont jamais rien regretté. Et tous les ans pour Pâques nous quittons Dublin et nous mettons en route vers

---

1. Cromwell étouffa la rébellion de l'Irlande avec cruauté, notamment à Drogheda (comté de Louth) en 1649, où il fit massacrer la garnison. (*N.D.T.*).

l'Ouest où nous passons quinze jours dans le McAndrews Hotel au nord du comté de Mayo. C'est une tradition de famille, inaugurée par mon grand-père, et aujourd'hui elle a pris rang de rite. Rien ne peut empêcher ce rituel, si bien que, lorsque j'épousai Judith un jour d'avril, il y a à peu près vingt-cinq ans, ce fut tout naturellement que nous avons passé notre lune de miel là-bas. Nous y sommes retournés chaque année à Pâques depuis, et si Judith a pu trouver parfois cela un peu fade, elle accepte de bonne grâce une période d'ennui sachant que celle-ci me procure un si grand plaisir, tandis que moi pour lui rendre la pareille il a pu se faire que je l'accompagne à Juan-les-Pins. Une expérience que, toutefois, je n'ai pas été assez insensé pour renouveler.

McAndrews figure parmi les énigmes du monde. Bâti à l'écart de Kilgory, dominant le village et la mer, il remonte à la fin du dix-neuvième siècle. C'est une grande bâtisse carrée de brique rouge et flanquée de tourelles qui rappelle les pires excès du gothique renaissant, et à chaque fois que je vois son monstrueux profil, dans sa solitude sur la colline, mon cœur bondit et mon pouls s'accélère. Personne ne peut dire s'il était là avant Kilgory et si le village s'est établi autour de lui ou bien si Kilgory était là en premier. Mais cet endroit est à coup sûr un bien étrange endroit pour l'édification d'un hôtel, à des miles d'un village, ou d'une église, ou même d'une plage. Il est situé sur un promontoire qui surplombe l'Atlantique, mais en cet endroit les falaises sont si abruptes et la mer si perfide qu'on ne peut faire ni du bateau ni nager. S'il peut paraître étrange d'avoir construit un hôtel en un tel lieu, il est encore plus étrange qu'il se soit trouvé suffisamment d'excentriques dans la région pour maintenir son activité durant presque un siècle. Mon père, quand il était enfant, venait en train. La ligne principale reliait Dublin à Wesport, et de là une ligne secondaire conduisait à l'hôtel — pas à Kilgory, notez-bien, mais jusqu'au parc même de l'hôtel. « Des clients pour McAndrews ? »

criaient les portiers quand nous descendions à Westport et que nous étions introduits dans le train miniature avec ses trois ou quatre voitures de première classe, afin d'être trimballés durant les quinze miles et déposés à un jet de pierre du grand portail de McAndrews avec sa noble balustrade en stuc.

La minuscule gare est toujours là, bien que de nos jours les clients viennent en voiture. C'est toujours avec satisfaction que je vois ma Daimler disparaître dans les garages profonds, et la plupart des autres clients semblent éprouver le même sentiment de soulagement, parce que, bien qu'ils arrivent en voiture, ils continuent ensuite à pied et le parc et les environs sont délicieusement exempts de fumées d'essence. La clientèle de McAndrews appartient à une seule et même espèce, vieillotte, excentrique, peut-être ; quelques-uns diraient snob. Eh bien, si c'est être snob que de vivre en accord avec son propre goût, alors je reconnais que je suis snob. Je n'aime pas les mauvaises manières, l'insolence des vendeurs et des chauffeurs de taxi qui de nos jours passent pour être de l'égalitarisme ; j'éprouve du mépris devant les façons familières des serveurs qui parfois paraissent difficilement se retenir de vous donner une tape sur l'épaule ; je suis irrité par les cocktail bars et perdu au milieu de tous ces brillants et vains bavardages. J'aime la paix et la quiétude et la réserve chez mon semblable − une réserve convenable, qui semble être la *raison d'être* de McAndrews. Je connais la plupart des noms des autres clients − qui comme moi viennent ici depuis leur enfance − mais je puis être assuré que lorsque à nouveau je rencontre l'un d'entre eux n'importe où dans l'hôtel, toute marque sociale me sera épargnée à part le mot civilisé de bonjour. Un tel respect pour la diginité et la vie privée est difficile à trouver dans les établissements qu'on fréquente ces temps-ci.

Cette année Judith était malade et ne m'accompagna pas. Dire qu'elle était malade est un peu exagéré, parce que si ça avait été le cas je ne l'aurais certainement pas quittée. Mais elle était quelque peu indisposée, et puisque sa sœur était à Dublin venant de Londres, elle décida de rester avec elle tandis que j'irais seul à Mayo. À dire vrai, j'étais un peu soulagé, parce que je ne savais que trop bien à quel point cela devait être difficile pour Judith, gaie et extravertie, d'être mariée à un vieux bougon de mon espèce depuis tant d'années. Je me félicite lorsqu'elle trouve l'occasion de s'amuser et je ne doutais pas qu'Eleanor et elle seraient beaucoup plus heureuses hors de ma présence inhibante. Néanmoins, elle allait me manquer, parce que comme pas mal de solitaires, je dépends beaucoup de la compagnie du petit nombre d'individus que j'aime.

Mais la magie de McAndrews se mit à opérer une fois de plus dès que je descendis pour le petit déjeuner le premier matin et que je retrouvai Murphy, présidant avec son habituel air calme et empreint de dignité dans la salle à manger. Murphy était maître d'hôtel ici depuis maintenant plus de trente ans, mais je le considère toujours comme un majordome, un loyal serviteur de famille plutôt que comme un maître d'hôtel chic. Son intérêt pour chacun des clients est personnalisé, et son vieux visage s'éclaire d'une véritable joie quand il vous voit à nouveau l'année suivante. Il s'avança pour me saluer en cet instant :

— Bonjour, monsieur.

— Bonjour, Murphy. Bien de vous voir de nouveau.

— Et vous, monsieur, toujours un tel plaisir. Je regrette que Mme Montgomery ne soit pas des nôtres cette année, monsieur ?

— Je crains que non.

— J'espère néanmoins que vous aurez un agréable séjour. Puis-je vous recommander ce matin les harengs séchés, monsieur ? Ils sont paticulièrement bons.

De tels échanges marqueraient la limite pour la quinzaine à venir de mes rapports avec le monde, formels, impersonnels, distanciés, et totalement prévisibles. J'ai toujours considéré cela comme un processus de guérison, un élément vécu de McAndrews qui pouvait aider une personne à se détendre, à se dénouer, à retrouver son âme de nouveau.

J'ai vite renoué avec mes habitudes, les assumant avec le bien-être et la gratitude qu'on ressent quand on enfile une fois de plus une vieille veste qu'on a beaucoup portée. Le petit déjeuner était plutôt servi à une heure tardive mais était copieux, ensuite une promenade jusqu'au village et retour. Après une heure ou deux passées dans la bibliothèque dans la compagnie délicieuse de Boswell[2], un homme qu'on ne peut apprécier que dans ses loisirs — je ne le lis jamais à Dublin. Le déjeuner et l'après-midi dans une chaise longue dans les jardins, à regarder la mer, sommeillant, rêvant, paressant. Après le dîner une autre promenade, plus sérieuse celle-là, peut-être deux miles le long de la route côtière, et puis retour à McAndrews pour un dernier doigt de porto, suivi d'un coucher tôt avec un bon policier. La félicité de ces jours est difficile à rendre, en particulier les après-midi, quand il semblait qu'il ne pleuvait jamais. Je prenais ma chaise longue et la plaçais dans un endroit ombragé et restais des heures assis à observer l'Atlantique et son labeur sans fin. Je regardais tandis que la lumière changeait — du bleu au vert et du vert au gris — jusqu'à ce qu'une mouette vienne de temps à autre couper mon champ de vision et je levais les yeux et suivais son envol jusqu'à la grande voûte du ciel. Une ou deux après-midi comme celle-là et chaque chose retrouve sa juste place. La conscience de l'âge qui avance, la certitude qu'on vous considère comme n'étant plus dans le coup, se font moins pénibles, et là, au bord de l'Atlantique, une sorte de paix finissait par m'envahir.

Mais quoi qu'il en soit j'ai toujours été en décalage avec le monde, et même quand j'étais jeune homme McAndrews était

2. James Boswell, biographe du dix-huitième siècle, notamment de Samuel Johnson (N.D.T.).

une retraite, un havre de paix pour moi. Cependant, à mesure que je vieillis et que les désagréments augmentent, McAndrews se fait encore plus précieux. Ici je peux échapper à tous ces jeunes hommes agressifs avec leur extraordinaire confiance en soi et leurs femmes aux ongles écarlates et leurs bavardages oiseux et interminables. Mon fils, Edouard, qui a comme épouse une esthéticienne — une profession qui, m'assure-t-on, représente un certain standing dans ce monde moderne — ce fils qui est le mien me dit que mon seul problème c'est que je suis un épouvantable vieux snob. Cela semble rendre mon cas désespéré, et il voit en moi un paria, presque une personne qu'il faudrait supprimer. Mais nous sommes tous des snobs d'une sorte ou d'une autre, et en vérité ce qu'il veut dire c'est que le snobisme qui est le mien est passé de mode. Il a des amis dans le monde ouvrier, et des amis noirs, mais pas d'amis stupides ; il ne songerait jamais à passer ses vacances dans une fortereresse comme celle-ci et ne songerait pas non plus à aller sur la Costa Brava ; il boit des pintes de Guinness mais déteste le vin doux. Et il prétend que la différence entre nous c'est qu'il a du discernement et que moi je suis un snob.

Un fossé entre les générations, c'est par ces termes que n'importe quel sociologue moderne pourrait définir cette différence de façon peu élégante et erronée, parce que, comme je l'ai dit, il y a toujours eu un fossé aussi profond entre moi et la plupart des gens de ma propre génération qu'entre moi et celle d'Edouard. C'est une sensation pénible que de ressentir à tout moment que le temps s'est disloqué, même si, tandis que je suis assis, sirotant le sherry dans McAndrews, dans l'agréable perspective d'un bon dîner, je peux rire de ma propre bêtise et de celle de mon fils, et en fait, de la sottise générale de l'animal humain. C'est ce qui rend McAndrews si précieux à mes yeux, mais c'est aussi ce qui rend difficile chaque départ. J'éprouve de plus en plus d'appréhension au moment de revenir dans le

monde, et alors que mes vacances touchaient à leur fin et qu'enfin
je restais assis attendant le dîner de la dernière soirée, j'étais
conscient d'être de plus en plus nerveux et déprimé. Je décidai
de me consoler avec ce nectar de tant d'hommes qui avancent
en âge – une bouteille d'un vieux bordeaux. Comme je sollicitais
les conseils de Murphy, je négligeai son prix avec une insouciance
qui m'était inhabituelle, et le fait que si je buvais toute la bouteille
je passerais probablement une nuit sans sommeil. Il y avait des
choses bien pires que l'insomnie.

À l'heure du dîner dehors la lumière s'était modifiée et une
opacité d'un bleu tendre inondait l'Atlantique à travers les
grandes baies de la salle à manger. C'était un crépuscule irlandais,
la plus belle des heures et cette partie du jour qui m'avait le plus
manqué durant ces quelques années que j'avais passées jeune
homme en Afrique occidentale. C'est un moment qui engendre
une mélancolie qu'on ne souhaite qu'à demi – accentuée sans
doute par le verre qu'on a dans sa main – et à McAndrews on
a du respect pour une telle disposition, parce que les rideaux
ne sont jamais tirés ni les lumières allumées avant que la nuit
ne soit tout à fait tombée. Tandis que je me dirigeais à travers
les pans tremblotants de lumière jaune – parce qu'il y avait
beaucoup de dîneurs déjà présents et beaucoup de bougies
allumées – je fus frappé à nouveau par la solennité de la salle.
Des années et des années de rituel lui avaient conféré un calme
monacal, un soupçon de cérémonial et de sérieux qui faisaient
de la dégustation tout à la fois le fait des clients et du personnel.
Je gagnai ma place habituelle le dos au mur, qui regarde vers
la mer, et tandis que Murphy murmurait, comme ferait un prêtre
au-dessus du ciboire, une voix forte et discordante nous fit
sursauter tous les deux :

– Garçon, venez ici s'il vous plaît.

Nous nous tournâmes tous deux dans la direction de la voix,
tous deux profondément conscients de la faute de goût qui avait

été commise en désignant Murphy par le terme de « garçon ».
La personne coupable était assise à peu près à six pieds plus
loin à une petite table au milieu de la pièce. C'était une table
peu prisée, parce qu'elle n'était ni tranquille ni à l'écart, située
sous le grand lustre, et seulement occupée lorsque l'hôtel était
au complet. Je supposai sur le moment que quelque employé
subalterne, troublé par la nouveauté de la situation, s'était oublié
au point de conduire cette personne à sa place sans avoir au
préalable consulté Murphy. Et la venue de ce nouveau convive
était une nouveauté. Ce n'était pas une cliente de l'hôtel, ce
qui était en soi bizarre, parce que McAndrews n'a jamais été le
genre d'endroit à solliciter le client de passage ; et puis elle était
seule, sans être accompagnée, chose qui était non seulement
bizarre, mais simplement qui ne se faisait pas : les dames, selon
la règle, ne dînent pas seules en public. Mais ce qu'il y avait de
plus frappant chez la nouvelle arrivante était son aspect. Elle
avait environ la cinquantaine, peut-être la soixantaine, avec des
cheveux et une robe de la même couleur, tous deux d'un rose
indéterminé. Elle portait des lunettes décorées de sortes de
pierreries sur les branches de la monture. Celles-ci brillaient
et étincelaient lorsqu'elle bougeait sa tête, mais pas de façon
plus brillante que ses dents qui étaient d'un éclat américain
étonnant. Elle les faisait briller pour Murphy à cet instant, et
tandis qu'il tâchait d'éviter leur éclat, je pouvais voir que pour
une fois il était décontenancé. Mais Murphy est un gentleman
et en quelques secondes il s'était repris. Se redressant, il s'inclina
légèrement dans la direction des dents.

— Madame ? s'enquit-il avec dignité.

— Pouvez-vous m'apporter un double scotch avec des glaçons,
et j'aimerais jeter un regard à la carte.

Sa voix était empreinte de cette familiarité qui caractérise
tant d'aspects de la vie américaine pour les Européens qui n'ont
jamais traversé l'Atlantique. Je ne crois pas avoir jamais rencontré

un Américain, mais je suis très friand à la télévision de leurs policiers, et sur-le-champ j'identifiai la voix comme étant une voix de New York. Le New York dur, comme tant de mes méchants favoris. Fier de mon travail de détective, je m'adossai pour écouter.

Le whisky fit son apparition avec cette rapidité à laquelle nous les clients de McAndrews sommes habitués, et si Murphy n'approuvait pas cette dîneuse solitaire, son éducation était trop parfaite pour même le suggérer. Il restait suspendu avec sollicitude en ce moment à son côté, tandis qu'elle examinait la carte, et quand elle se mit à la tourner et la retourner je vis son visage se pincer et afficher de la réprobation. Il me faut dire maintenant que McAndrews n'a pas de carte au sens commercial ordinaire du mot. Mme Byrne, qui fait la cuisine là depuis trente ans, est une artiste, et cela offenserait sa sensibilité artistique, et en fait déplairait aux clients, si on lui demandait d'offrir le tout-venant à la carte, ordinaire et varié, qu'on trouve de nos jours dans tant de salles de restaurants. Pour les grandes occasions elle peut préparer un plat classique dans la tradition française, et à part cela elle nous rend tous heureux en cuisinant de simples mais superbes plats qui font appel aux poissons et à la viande de la région et aux légumes qui poussent à deux pas d'ici. À coup sûr c'est une merveille, mais je conçois parfaitement que pour une personne habituée à l'internationalisme fade de la carte moderne, les propositions modestes et écrites à la main de Mme Byrne puissent paraître énigmatiques. On chercherait en vain l'entrecôte chasseur fatiguée ou la sole bonne femme omniprésente dans cette salle à manger et on pourrait se sentir quelque peu désorienté quand on est devant un humble silverside de bœuf suivi de prunes de Damas au gingembre à l'étuvée.

Je pouvais voir que c'était précisément dans cette situation que notre dîneuse se trouvait en ce moment. Elle jouait avec la feuille de papier et sans espoir levait la tête vers Murphy. Celui-

ci toussa d'une façon encourageante derrière une main délicate
et se mit à dire :

— Peut-être, madame, je pourrais recommander ce soir le…

Mais elle ramassa ses épaules et jeta la tête en arrière :

— Non, vous ne pourriez pas, garçon. Je sais exactement ce
que je veux.

Sa voix était devenue encore plus stridente :

— Je veux un filet migon avec une salade verte. Sûrement
un endroit comme celui-ci peut fournir ça, hein ?

— Cela n'est pas dans la carte, madame, mais certainement
si c'est cela que vous désirez, on peut l'arranger.

Je crus remarquer un soupçon de désapprobation dans la
voix veloutée de Murphy.

— Ouais, c'est ça que je veux. Rien pour commencer. Et je
veux le steak à point, ce qui signifie à point. Vous autres,
Irlandais, vous faites trop cuire la viande.

Je me dis un instant que Murphy allait perdre toute retenue,
que ses années d'éducation et d'affabilité allaient finir par céder
devant cette dernière avalanche de grossièreté, mais une fois de
plus il se ressaisit. Pendant une seconde il s'arrêta sur la
commande et puis regardant en l'air de nouveau dit, toujours
avec politesse :

— Et pour boire, madame, vous aimeriez quelque chose ?

La dame le regarda, se creusant réellement la tête tout en
tenant en l'air son verre de whisky.

— Je l'ai déjà, vous vous rappelez ?

C'était maintenant au tour de Murphy de montrer sa
perplexité, et je pouvais le voir mentalement en train de se
débattre jusqu'à ce que l'implication de la remarque lui parût
claire. Cette personne extraordinaire avait l'intention de boire
du whisky avec son filet mignon !

Comme je regardais celle qui dînait à côté de moi, je me
demandais comment diable elle s'était frayé un chemin jusqu'à

McAndrews. Ce n'était pas un endroit à la mode, ni le genre d'hôtel qui attirait les touristes. Il y avait un motel hideux à seulement dix miles, beaucoup plus chic que McAndrews, avec des néons qui s'allumaient, plein d'Américains, proposant ce qu'ils appelaient le tout compris pour plaire à leur clientèle. Sûrement cette femme aurait été beaucoup plus chez elle dans un tel endroit. Mais tandis que je l'étudiais, je commençais à me rendre compte que cette étrange créature était en fait impressionnée par McAndrews. J'étais sûr maintenant que ce n'était pas par accident qu'elle était tombée ici comme je l'avais cru au début, mais que pour une raison inconnue elle l'avait délibérément choisi. Et je vis aussi que sa grossièreté apparente n'était rien d'autre que de la gêne, une tentative pour dissimuler sa crainte et son inexpérience dans un tel lieu. Ma belle-fille − l'esthéticienne − quand elle me rendit visite un jour ici fit preuve d'une réelle grossièreté authentique, parce que cette grossiéreté se fondait sur du mépris, à l'égard de Murphy, à mon égard, pour notre genre de monde. Et elle s'était emportée contre Murphy parce qu'elle avait vu en lui une vieille ganache peu efficace. Mais il n'avait aucun impact sur son monde à elle, et il n'avait été seulement une nuisance pour elle que parce qu'il n'avait pas préparé son cocktail dans les proportions convenables. Mais cette femme était différente, bien que je voyais que Murphy ne le pensait pas − mais alors qu'il avait été prêt à trouver des excuses à Hélène, parce qu'elle était un membre de la famille, je pouvais voir qu'il avait encaissé autant que faire se peut de la part d'une étrangère. Comme le garçon posait le steak devant elle, Murphy s'approcha, désapprobateur dans chaque trait de sa noble personne :

− À point, comme vous l'avez demandé, dit-il, et même moi, assis à quelque distance, je dus reculer sous la pique de son mépris.

D'autres clients avaient fini par remarquer ce qui se passait maintenant, alertés peut-être par la voix légèrement aiguë de

Murphy, un événement unique dans cette salle à manger. Je pouvais sentir qu'un courant de légère désapprobation commençait à circuler, et je vis que la dame remarquait aussi quelque chose. Elle paraissait mal à l'aise, mais elle saisit courageusement son couteau et sa fourchette et fit face. Je me mis à admirer son courage.

La décence exigeait que je lui ménage un peu d'intimité pour manger. Alors avec regret je détournai mon regard. Bientôt, je fus heureux de le voir, les autres hôtes avaient fini par se désintéresser d'elle, et lorsque après un laps de temps convenable je jetai un regard à sa table, elle avait terminé son repas et était en train d'essuyer sa bouche avec un air de bien-être et de détente. Ça avait dû être un filet mignon satisfaisant. Quand Murphy apporta de nouveau la carte, elle lui fit même un sourire.

— Non, non, dit-elle, montrant la carte, rien d'autre pour moi. Nous autres, femmes, devons garder la ligne, non ?

Et comme elle lui jetait un regard plein d'espièglerie, je me dis avec horreur pendant quelques instants qu'elle allait lui enfoncer ses doigts dans les côtes. Murphy la regarda froidement, ne faisant aucun effort pour lui rendre son sourire.

— Très bien, madame.

Les mots demeuraient en suspens entre eux, et quand elle sentit son manque de chaleur, voire son hostilité, le sourire, encore mal assuré sur ses lèvres, se transforma en une hideuse grimace.

— Je crois que vous devriez m'apporter un autre scotch.

La défaite était maintenant en train de prendre le pas sur le défi dans sa voix. De toutes ses forces elle saisit son verre quand il lui fut servi et l'avala comme un homme en train de se noyer avale l'air. Cela parut la rétablir quelque peu et avalant plus lentement une autre gorgée, elle sortit une cigarette de son sac à main et l'alluma. C'est à ce moment qu'elle se rendit compte, alors que Murphy passait près d'elle pour aller à ma table, qu'il n'y avait pas de cendrier.

— Excusez-moi, elle paraissait embarrassée, vous pouvez m'apporter un cendrier, s'il vous plaît ?

Murphy se retourna lentement là où il était. Il la regarda silencieusement pendant cinq bonnes secondes.

— Je regrette, madame — il me sembla à ce moment que la salle à manger tout entière était attentive au ton de sa voix mesurée et légèrement stridente —, je regrette, mais nos hôtes ne fument pas dans la salle à manger.

En principe c'est vrai, parce qu'il est admis par les clients qu'il n'est pas toléré de fumer ici — une mesure de leur sollicitude réciproque parce que la fumée pourrait diminuer l'appréciation d'un bon repas par l'un d'entre eux. J'approuve totalement cette règle non écrite — elle me semble éminemment civilisée — mais je sais bien que de temps à autre des gens, des nouveaux arrivants par exemple, ont fumé dans la salle à manger de McAndrews, et que Murphy, quoique sans doute le désapprouvant, n'a jamais fait d'objection. Je le regardai maintenant avec stupéfaction et peut-être il remarqua mon expression de surprise parce qu'il ajouta :

— On sert le café dans le salon bleu, madame, et il y a des cendriers là-bas. Néanmoins, si vous préférez, je peux…

La femme se leva précipitamment, se cognant presque contre Murphy. Son visage et son cou s'empourprèrent vilainement et on aurait dit qu'elle cherchait à le repousser.

— Non, pas du tout, je vais aller le prendre, et elle trébucha comme une aveugle vers la porte. La traversée parut interminable.

Je finis mon fromage et la suivis pensivement dans le salon. Tout le long de la soirée quelque chose m'avait tracassé, quelque chose dans sa voix. J'ai l'oreille très sensible, je crois — j'en suis plutôt fier — et bien que, comme je l'avais remarqué, cette femme parlait avec un accent américain, il y avait sous-jacente quelque qualité non-américaine dans la voix. Quelque chose de familier mais différent dans ses voyelles et les *th*. Maintenant, tandis que je m'asseyais et allumais mon cigare, je me rendais compte de ce que c'était — c'était si évident que je ne l'avais pas remarqué jusqu'alors. Sa voix, bien sûr, était une voix de la région, une voix du nord de Mayo avec cette épaisse consistance pâteuse que j'entendais autour de moi depuis mon arrivée. Sa voix était devenue américanisée, presque entièrement, mais pour mon oreille ses origines étaient claires. J'aurais pu jurer que cette femme était née à moins de dix miles de cet hôtel.

Nous sirotâmes tous les deux nos cafés, le tintement des cuillers à café tombant entre nous. Je la regardais tandis qu'elle était assise seule, isolée et minuscule dans le profond renfoncement de la baie, observant les jardins en train de s'obscurcir. Au-delà, il y avait toujours quelques rayons de lumière qui venaient de la mer, et je savais qu'en bas, sur les rochers, les enfants du village seraient en train de nouer leurs derniers ballots de goémon avant de prendre le chemin de la maison pour se coucher. Le goémon est vendu à l'usine de l'endroit où il est transformé en une sorte d'engrais, et ici les gens le ramassent sans relâche, quelquefois des familles entières travaillent ensemble, pieds nus, parce que le sel de l'eau de mer brûle le cuir des chaussures. Même les petits ont souvent les pieds endurcis et calleux, parfois avec des méchantes coupures. La vie est encore difficile dans l'Ouest de l'Irlande. Je regardais à travers la pièce la femme — *ses* pieds étaient chaussés de souliers rouges à hauts talons avec des semelles épaisses. Son visage, tandis qu'elle tenait ses yeux immobiles sans voir, était triste en ce moment, triste et les traits en paraissaient défaits. Je me rappelais de nouveau sa voix, et tandis que nous restions assis là, buvant notre café, tout d'un coup je sus sans doute aucun ce qu'elle faisait ici. Je *la* connaissais intimement — sa vie était étalée devant moi. Je pouvais la voir petite fille, vivant non loin d'ci dans quelque cottage misérable. Il se pouvait même que lorsque je me promenais enfant avec maman, je l'avais croisée, n'accordant nulle attention à la petite fille en guenilles qui restait là émerveillée, nous fixant. McAndrews avait dû être un symbole pour elle, un monde de richesse et de confort, là, directement sur les marches de sa propre existence indigente. Peut-être même avait-elle travaillé dans l'hôtel comme bonne, attendant d'économiser suffisamment d'argent pour payer son voyage en Amérique, pays de toutes les possibilités. Et en Amérique avait-elle vécu seule, terrifiée par cet étrange pays, si différent de son propre Mayo ? Combien de nuits avait-elle passé en pleurs sans sommeil, malade de ne pas respirer l'air de son pays ? Mais elle s'était débrouillée, expédiant de l'argent, et toujours, pendant toutes ces années, elle avait conservé intact son rêve : un jour elle retournerait chez elle à Kilgory, riche dame américaine, et elle ferait son entrée dans McAndrews Hotel, non pas comme bonne cette fois, mais comme cliente. Elle commanderait un excellent dîner, et impressionnerait tout le monde avec ses habits et son accent et sa richesse.

Elle restait assise en ce moment, poupée rejetée dans sa robe rose et ses souliers rouges, parce que ce soir elle avait vu son rêve se désintégrer comme de la mélasse de candi. Je voulais aller près d'elle, lui dire, lui expliquer que cela n'avait plus d'importance − le monde lui-même était en train de se désintégrer. Elle devrait se rendre compte que les lieux comme McAndrews ne comptaient plus, que les gens ne faisaient qu'en rire. Elle n'avait pas de raison d'être attristée, parce qu'elle, et toutes les autres petites filles irlandaises qui avaient passé leurs journées à laver les parquets d'autres gens et préparé des repas d'autres gens, c'étaient elles qui hériteraient de ce monde. La roue avait fait un tour complet.

Naturellement je ne m'approchai pas. Je terminai mon café et allai directement au lit me disant combien le monde est en train de changer, mon monde, son monde à elle. Bientôt McAndrews lui-même aura disparu. Mais pour moi, ce paysage avait à tout jamais été appréhendé − appréhendé et défini par son héroïne, la dame aux souliers rouges. Naturellement, vous, en lisant ces lignes, allez voir en moi un vieux bonhomme sentimental, inventant de romantiques histoires sur des étrangers, parce que je suis seul et que je n'ai rien d'autre à faire de mieux Mais je sais ce que je sais.

Extrait de *The Lady with the Red Shoes*.

SHANE CONNAUGHTON

Affirmatif !

La route était sèche, poussièreuse et parsemée de nids-de-poule. Il fallait à tout moment faire des embardées pour les éviter. Quand on ne le faisait pas on pouvait sentir les bords dentelés laisser leurs traces sur la jante de la roue avant.

— Reste sur le côté, lui cria son père en se retournant.

C'était plus facile sur le côté mais son vélo prenait de la vitesse et ça c'était dangereux. Les freins étaient en mauvais état. En fait il n'en avait que la moitié d'un. Un bloc de caoutchouc usé qui ne faisait pas grand-chose d'autre que de nettoyer un côté de la roue arrière. Percuter son père était un cauchemar qu'il fallait éviter à tout prix.

Il n'avait même pas de sonnette. Et la selle aussi était en mauvais état. Elle se mettait continuellement à basculer vers le bas et il devait passer une main entre ses jambes pour la remettre en place. Il restait au milieu de la route et laissait les trous jouer le rôle de freins.

— Pour sûr ils ne devraient pas servir à ça, avait-il entendu plaisanter l'un des gardes-frontière avec son père. Est-ce que t'as jamais rencontré jusqu'à ce jour un homme de Cavan avec des freins sur son vélo ?

C'était bien un bled perdu. Pas de chemins bitumés, pas d'eau courante dans les maisons, pas de lumière électrique et les W.-C. à l'extérieur remplis de brun et de journaux mouillés. L'odeur persistante d'Elsan et quand les W.-C. débordaient on enterrait le contenu au fond du jardin

Il savait que sa mère n'était pas heureuse ici.

Son père continuait à rouler en avant, pédalant avec une énergie calculée, laissant l'exercice lui faire du bien.

Plus tôt il avait regardé son père manger son repas de la même façon mécanique. Ses mâchoires faisant la pédale de haut en bas sur le poulet rôti, les pommes de terre, les carottes, le choux-fleur et les deux portions de la tarte à la rhubarbe. Extirpant leur bonté en broyant. Une courte sieste et puis ce petit voyage pour voir le match de foot c'était tout à fait ce dont le système digestif avait besoin. La régularité et un estomac bien réglé étaient les clefs d'une longue vie. À la longue pour le Paradis. Son père avait lu ça dans le *Garda Review*.

Tandis qu'ils roulaient, des haies, des collines, des pissenlits et des champs marécageux défilaient de chaque côté. Le bétail, figé dans la boue à moitié sèche des barrières, les observait. Une paire de pies caquetantes voleta en traversant la route et se posa sur un tonneau rouillé abandonné au milieu du champ.

— Eh bien, au moins elles sont deux, dit son père. Une pour le chagrin, deux pour la joie…

Son père avait deux gros poings. Il s'agrippait aux poignées du guidon, rouges et grumeleuses. Même quand il faisait chaud elles semblaient froides. Les phalanges se ridaient sous l'effet de la peau tendue, comme la patte d'un poulet. Les embouts de caoutchouc sur les extrémités du guidon disparaissaient dans la serre de ses doigts.

Ses pieds aussi étaient grands. Il portait des bottes, les longs lacets noués à double tour autour de la partie supérieure, et serrés avec un double nœud juste au-dessous du deuxième trou en haut. « Il faut toujours donner un peu d'espace à la cheville. »

Le bas de son pantalon était impeccablement plié et pincé sur le haut du mollet pour éviter que le mouvement du genou ne détruise le pli rigide prévu par le règlement.

Son uniforme bleu foncé avançait à travers le paysage comme un nuage. Le bâton dans sa gaine de cuir noir attachée au ceinturon de la tunique. Le bâton avait des cannelures dans sa partie supérieure et une boucle de cuir brun au travers de laquelle on pouvait passer la main si l'on voulait éviter qu'un autre s'en empare. Son père lui avait montré comment le tenir.

Le bâton était lourd et brillait comme un marron.

Ils sortirent des collines et débouchèrent sur un terrain plat. À droite du côté des Six Comtés le paysage était égal, vert et riant. Vers la gauche, cependant, des miles de champs d'ajoncs se succédaient, de marais, de lacs et de marécages.

— Bon Dieu, murmura son père, ils savaient ce qu'ils faisaient quand ils ont tracé cette frontière.

Tout d'un coup il ralentit. Il y avait quelque chose devant. Le garçon, venant à sa hauteur, se dirigea délibérement dans un trou plutôt que de le dépasser.

Ils roulaient en ce moment avec une telle lenteur que les rayons n'étaient plus indistincts.

Au loin sur une étendue d'herbe entre le chemin et la haie, quelque chose pendait. Ça avait l'air d'un drap brun.

— Enculés de romanichels, dit son père, et juste à l'intérieur de mon sous-secteur.

Ils furent bientôt près du campement. Le drap brun était un morceau de toile jeté de travers sur ce qui semblait être des cerceaux pour former une tente.

Un feu de tourbe couvait à l'avant. Une tapissière peinte en vert et jaune était renversée à l'arrière de la tente, ses brancards gracieux s'incurvant vers le ciel. Un cheval était attaché à la roue.

Une jeune et robuste femme était accroupie devant le feu, l'attisant avec une tige de choux.

Son père descendit de son vélo et resta à la regarder. Elle ne voulut pas lever les yeux. Des flammes jaillirent.

Le cheval frotta sa croupe contre la voiture, déportant son poids sur ses jambes avant. Le garçon regardait la femme mais vite détourna les yeux au cas où elle saisirait son regard.

Comme son père continuait à la fixer le visage de la femme se renfrogna. Mais elle ne voulait pas lever la tête et reconnaître son existence. Elle les avait vus s'approcher. L'uniforme. La casquette à visière. Les boutons d'argent. Elle savait très bien qu'ils étaient là. Mettant fin à sa tranquillité par un regard hostile.

Son père pencha sa tête plusieurs fois, sifflant en même temps doucement, puis enfourcha son vélo et s'éloigna en pédalant.

Le garçon surpris par ce départ se sentit abandonné pendant quelques instants. La bohémienne leva la tête pour le regarder. Dans les yeux marron de la femme plein de livres où s'instruire au-delà de ses possibilités.

Le visage d'un homme scrutait par la fente de la tente.

Le garçon sauta sur son vélo et s'éloigna rapidement sur le côté de la route.

Pourquoi son père avait-il laissé les romanichels tranquilles ?

Au bord d'un petit chemin ils virent une maison passée à la chaux, avec un bac de fleurs rouges. Les appentis sur les côtés étaient également chaulés. Ce devait être une maison protestante. La propreté faisait partie de leur religion.

Sur les collines à gauche une meute de beagles fonçait au travers d'une haie. En ligne dispersée ils serpentèrent à travers champ claironnant dans l'air leur faim démente. Derrière eux avançaient à pas lourds en bottes wellington des hommes criant et portant des bâtons.

— Que Dieu vienne en aide à ce pauvre lièvre si jamais ces sauvages l'attrapent. Ceux à deux jambes !

Ces mots moqueurs étaient sortis de l'intérieur de son père comme une éructation : les mots jetés avec un brusque détour de la tête sur le côté dans la direction des dos des chasseurs formant une meute dispersée, la canaille dépenaillée des chasseurs. Ils regardèrent les derniers d'entre eux disparaître derrière un bouquet d'arbres flétris. Le garçon savait que montrer du mépris était un exercice. Son père dégorgeait sa bile de cette manière. Il regarda sous lui la route qui fuyait sous ses roues. Elle courait entre ses jambes comme un fleuve en crue.

Il y avait une épaisse ligne noire sur sa chaussette blanche. De l'huile. La chaîne n'était pas protégée. Sa mère allait le gronder. Mais ses paroles ne le blesseraient pas.

Être au lit avec sa mère rendait l'endroit le plus chaud du monde. Le foin. Le miel.

— Nom de Dieu, débarrassez le chemin ! Bande de mendiants pouilleux ! rugit son père.

Des chèvres attachées par deux erraient au milieu de la route. Pareilles à des cassis humides, des crottes tombaient d'en dessous de leurs queues. Des tasses entières. On pouvait presque goûter l'odeur épaisse de leurs corps couverts de poils rudes.

— Elles puent, et moi aussi, papa.

— Et c'est ce qu'ils appellent le comté des petites collines et des lacs, s'indigna son père comme il se frayait un chemin à travers le troupeau qui se dispersait, il faudrait plutôt l'appeler le comté des chèvres et des nids-de-poule !

Bientôt ils laissèrent derrière eux la route criblée de trous et après un dernier cliquetis cahotèrent sur la route principale goudronnée qui reliait Cavan, Clones et le Nord. Obliquant sur la droite ils roulèrent en direction de la frontière et du terrain de foot. Il pédalait à la hauteur de l'épaule de son père. Celui-ci, une grimace à l'une des commissures de sa bouche, lui jeta un regard.

Un concours.

Ils s'arrêtèrent de pédaler et se mirent en roue libre.

Lequel des deux vélos serait le dernier à vaciller jusqu'à l'arrêt ?

Celui de son père était plus lourd, avait des roues plus grandes et était bien entretenu. Il le graissait régulièrement et l'essuyait avec un bout de chiffon, tout particulièrement quand il avait été dehors sous la pluie. Les jantes brillaient, les roues tournaient sans voile, les rayons étaient tendus, la languette de la sonnette scintillait, le réflecteur luisait et la sonnette brillait autant que la boucle du ceinturon de son uniforme. « Liz de Fer-blanc », c'était le nom qu'il lui avait donné. « Je me suis occupé de lui. Donc, sûr, il s'occupe de moi. »

— Il a quel âge, papa ?

— Il était déjà vieux quand je l'ai acheté. Et ça fait trente ans. Ça te donne une idée. Un Rudge. Tu ne serais pas capable de le battre avec une baguette de tambour.

Ils roulaient en roue libre, son père prenant de la vitesse, le garçon commençant à être distancé.

Ça ne le gênait pas de perdre. En fait il le fallait. Parce que si son père était battu par qui que ce soit, il faisait tomber sur le monde une humeur aussi épaisse que le bitume.

Dans le paysage silencieux de la frontière au-desssus du doux cliquetis des roues qui tournaient ils pouvaient entendre au loin les hurlements de la meute des beagles.

Il regarda de nouveau la trace d'huile sur sa socquette.

Des socquettes blanches courtes. La bohémienne portait aussi des socquettes courtes. Celles-là vertes. Ses jambes étaient salies de terre et à cause du temps. Elle appartenait à l'homme dans la tente. Une fente d'yeux blancs, vifs et dangereux. Des socquettes vertes.

Le garde-boue cliquetait tandis qu'il oscillait jusqu'à l'arrêt.

— J'ai perdu, papa.

— Ah, ah, ah, fiston, cria son père en se retournant triomphant.

Il était content.

– Si on ne peut livrer une bataille, n'importe quelle petite victoire suffit. C'est ce que ton grand-père avait l'habitude de dire, *Requiescat in pace.*

Ils atteignirent la frontière. Une légère différence dans le niveau et dans la texture du macadam était la seule chose qui indiquait qu'ils passaient dans ce qui était supposé être un pays étranger. Mais plus loin ils arrivèrent à une rangée de herses de fer disposées au travers de la route. C'était une mesure dirigée contre l'IRA. Mais les gens du pays avaient dégagé au bulldozer un passage entre la haie et la herse la plus proche, créant un sentier boueux avec des ornières profondes qui étaient suffisamment larges pour le passage des voitures, des camions et des tracteurs. Son père descendit et regarda les herses. Puis il tendit les mains et testa leur solidité. Le garçon fit de même.

Des croûtes de rouille sur les poutrelles brunes. Les rails de chemin de fer sortant de l'enfer. Durant le mile qui suivit, la frontière zig-zagua de façon folle si bien que son père annonçait un coup qu'ils étaient au Nord, un autre coup au Sud.

– Aussi longtemps que l'herbe sera verte et que l'eau courra, aussi longtemps que cette frontière sera là, ce pays ne sera jamais en paix, déclama son père et il se le répéta plusieurs fois. Comme si de se répéter allait transformer les mots en un fait politique si évident que même un crétin serait à même de s'en apercevoir.

La paix. Pourquoi sa mère et son père n'étaient-ils pas en paix ? Pourquoi est-ce que son père cognait à la porte de la chambre de sa mère la nuit, voulant venir auprès d'elle ? C'était ça, la paix ? Et pourquoi, quand ils s'asseyaient pour manger, sa main sous la table était sur le genou de sa mère, sa cheville immoblisée dans les tenailles de ses grandes bottes noires ? Un jour alors que sa cuiller était tombée à terre et qu'il s'était baissé pour la ramasser, il avait vu la main de sa mère cherchant à repousser celle de son père loin de sa chair. Pourquoi ?

Ils continuèrent à rouler mais la sonnette de son vélo tomba et rebondit jusqu'au fossé. Ils la cherchèrent mais ne la trouvèrent pas, son père battant les hautes herbes et les chardons, les écrasant avec une force brutale. Le garçon savait que son père était fâché. Il accordait du prix à des choses comme des clous tordus, des boutons divers, des seaux sans anse, des aiguilles à coudre avec des chas brisés… des sonnettes de vélo.

— La voilà, papa !

Son père se pencha pour la ramasser mais ce n'était qu'une pierre.

— Ah, pousse-toi de là, nigaud.

Il lança la pierre dans le fossé et regarda le paysage et le ciel au-dessus.

— Que diable ai-je bien pu faire pour avoir été envoyé ici dans ce trou de merde ? La civilisation aussi lointaine que la face noire des étoiles.

— Maman n'est pas heureuse ici non plus.

— Comment tu le sais ?

— Ah…elle… me l'a dit.

Son père lui jeta un regard furieux, ses yeux aussi brillants que l'insigne de sa casquette.

— Elle a dit ça ?

— Et moi je ne suis pas heureux non plus.

— Pourquoi ?

Comment expliquer à quelqu'un la raison pour laquelle on n'est pas heureux ? En particulier à son père !

— Parce que…. parce que ce foutu vélo me désespère.

— Ce QUOI vélo ?

— Ce… vélo ROUILLÉ.

— Ne te fais pas plus grand que t'es, mon gars. J'ai entendu ce que t'as dit. Il n'y a rien qui n'aille pas avec ce vélo. C'est la façon que tu l'utilises.

— Mais il tombe en morceaux, papa.

— C'est un mauvais jockey qui blâme son cheval. Quand j'avais ton âge j'ai dû MARCHER quel que soit l'endroit.

— J'aimerais mieux marcher.

— Monte sur ce vélo. Va !

Des larmes lui vinrent aux yeux et, même s'il savait que c'était dangereux, il s'entendit crier à son père :

— Je veux rentrer à la maison voir maman.

Il s'attendait à un coup de poing de son père mais à la place celui-ci le regarda fixement et dit, comme le défiant :

— Moi aussi. Moi aussi.

Pourquoi est-ce que son père voulait rentrer à la maison ? Il détourna ses yeux de ceux de son père et regarda fixement dans le fossé. Tout au fond l'eau filtrait à travers les mauvais herbes et un bouton de pissenlit s'élança et se mit à voltiger au-dessus de leurs têtes. Remontant sur leurs vélos ils se dirigèrent vers le terrain de foot. Quand ils l'atteignirent les supporters des deux équipes rivales s'étaient massés de part et d'autre du terrain. Les équipes étaient là, les visiteurs en rouge, Butlershill en rayures bleues et jaunes.

Les gens se mirent à causer avec son père tout en gardant leur distance. Ils devaient se dire que près de l'uniforme ils ne pourraient pas injurier les joueurs avec leur liberté habituelle.

Son père se tenait devant son vélo, son postérieur sur le cadre. Les autres avaient jeté à terre les leurs formant un tas embrouillé. Le match débuta et presque aussitôt une bagarre éclata. Des coups de poing et des coups de pied furent échangés et bientôt des spectateurs se joignirent à la mêlée, quelques-uns d'entre eux roulant dans la boue dans leurs costumes du dimanche, dans le but évident de s'écharper les uns les autres.

Le garçon regardait en bas la tache d'huile sur sa socquette.

— Arrêtez-les, sergent, cria un homme.

— Arrêtez le foutu arbitre, cria une femme, c'est lui qui a commencé.

Mais son père leur fit une grimace, ôta sa casquette, souffla sur l'écusson d'argent, le frotta avec sa manche et, remettant la casquette sur sa tête, dit :

— Quand ils en auront assez, ils s'arrêteront d'eux-mêmes.

C'est ce qu'ils firent.

Sur le côté opposé du terrain de foot le garçon vit un lièvre qui le longeait avec des sauts précautionneux, s'arrêtant tous les deux ou trois mètres, les oreilles aux aguets, écoutant la lointaine rumeur de la foule. D'autres garçons le virent aussi et lui firent la chasse. Le lièvre bondit au-dessus des hautes herbes et en quelques sauts rapides et allongés détala vers un trou dans la haie à l'autre bout.

— Viens, dit son père, le niveau du jeu est trop mauvais pour que ce soit vrai.

Ils pédalèrent en direction de la maison, son père un air préoccupé sur le visage.

S'approchant des herses barrant la route, ils virent une Jeep de l'armée qui bloquait le sentier tracé au bulldozer.

Les soldats à l'intérieur les regardaient, les fusils posés sur leurs genoux.

— Merde, dit son père, ce sont les Britanniques.

Debout à côté de la Jeep se tenait un officier. Il était grand, beau, les cheveux blonds et portait autour du cou un foulard rouge. Quand ils furent à sa hauteur l'officier salua son père, qui rendit le salut.

— Beau temps, n'est-ce pas ? dit son père

— Affirmatif !, répliqua l'officier. Un soldat fit un clin d'œil au garçon.

— Tout va bien de votre côté, sergent ?

— Oui, Dieu merci. Et pourquoi ça n'irait pas ?

Ils n'attendirent pas la réponse mais se mirent à rapidement pédaler pour s'éloigner de Fermanagh, son père tout content de l'affront religieux et politique fait aux forces de la Reine.

Quand ils parvinrent à la route parsemée de nids-de-poule le garçon se laissa distancer. Il avait remarqué que son père avait pris un air sinistre, grognant, entretenant sa mauvaise humeur. Maintenant il allait trouver une excuse pour la faire exploser.

Avant même qu'ils y arrivent il savait qu'ils allaient s'arrêter au campement des romanichels.

Son père pédalait avec détermination, se dirigeant vers un but précis. Et ce n'était pas la maison. Le thé ne serait pas prêt avant au moins une heure. Ça devait être les romanichels. Qu'est-ce qu'il allait leur faire ?

Quand la tapissière renversée fut en vue son père ralentit, mettant les freins avec un mouvement brusque des épaules. Lorsqu'il fut presque arrivé il lança sa jambe droite du même côté que la gauche, et debout sur une pédale se laissa glisser jusqu'à l'arrêt.

La tourbe cette fois était bien ramassée autour du feu et sur les flammes actives il y avait une poêle noire remplie de saucisses et de bacon. La bohémienne était accroupie près du feu, sa main sur le manche de la poêle.

— Ça sent bon, dit son père, la surprenant par son ton détaché ; si bien qu'elle leva les yeux vers lui.

— Où est ton homme ?

— Il n'est pas ici, répliqua la femme.

Le garçon regardait les socquettes vertes de la femme. Son père déposa son vélo contre la tapissière et s'apprêtait à jeter un coup d'œil à l'intérieur de la tente quand l'homme sortit.

— Maintenant il est là, dit son père d'une voix brève et sarcastique.

Le bohémien portait des bottes brunes, un costume brun décoloré, une chemise échancrée au col et un chapeau.

Son visage était ferme, petit et solide, avec des traits ciselés, attrayants, et un regard rusé. Sa peau était très blanche et une moustache de l'épaisseur d'un crayon surplombait sa lèvre supérieure.

Ses yeux vifs allaient rapidement de l'uniforme à la poêle. La fumée qui ondoyait d'un côté de la poêle montait droit dans l'air tranquille. Le silence était la tactique de son père, pendant lequel il jaugeait sa proie. La femme fixait la poêle, l'homme dansait d'un pied sur l'autre.

— Qu'est-ce qui ne va pas ? demanda le bohémien.

— Où est-ce que tu as eu cette tourbe ?

Le bohémien se retourna vers le feu. Les flammes sautèrent. Donc, c'était ça. De la tourbe volée. Quel mal y avait-il, pensa le garçon en lui-même, même si elle était volée.

— Sûr que le marais en est plein, dit la femme, répondant à ses pensées.

De l'autre côté de la haie il y avait une étendue d'eau brunâtre, un marais plein de roseaux qui semblait traître.

Les bords étaient trop pauvres et pas assez formés pour qu'on puisse récolter la tourbe de façon normale. On piochait la boue de trous humides, on l'étalait sur les bords, on la coupait en morceaux approximatifs du tranchant de la main et on la laissait à sécher. Les mottes étaient beaucoup plus grandes et moins nettes que la tourbe découpée mais les gens du pays prétendaient qu'il y avait « beaucoup de feu » dedans.

Son père fit un pas vers le bohémien.

Le cheval tourna la tête et fixa l'uniforme.

— Le fermier me l'a donnée, dit le bohémien, montrant la maison chaulée au loin.

— C'est ce qu'il a fait ? On va lui demander.

Le bohémien regarda la femme. Elle ôta la poêle des flammes.

Le garçon se retrouva seul avec elle.

Elle posa la poêle à terre. Le grésillement faiblit. S'accroupissant elle ramassa sa robe entre ses jambes et fixa le garçon avec une rage froide, essayant de le blesser à cause de son père.

Il voulait regarder au loin mais les yeux de la femme le retenaient solidement. Elle faisait des mouvements de bas en haut sur ses cuisses, son pouce dans sa bouche. Le fixant. Ses yeux grands comme des lunes. Il restait agrippé à son vélo, incapable de détacher son regard. La panique le saisit. Il voulut humecter ses lèvres mais sa langue était sèche. Il était conscient que ses yeux clignotaient et puis à son étonnement il se sentit lâcher son vélo qui tomba avec bruit sur la route, une extrémité du guidon coincée dans un nid-de-poule rempli d'eau.

Comme hypnoptisé il releva son vélo et tâcha de conserver ses yeux sur la roue avant mais ils étaient attirés du côté de ceux de la femme.

— Tu manges des bonbons ?

— J'en mange, souffla-t-il.

— Dommage que je n'en ai pas, et elle se berça d'avant en arrière en riant. Il se sentit honteux et fâché. Si son père ne revenait pas bientôt il sauterait sur son vélo et pédalerait comme un fou jusqu'à la maison.

L'attention de la femme fut distraite par le cheval qui tirait sur sa longe et qui se mit à uriner.

Le liquide jaillissait de dessous sa queue pour tomber au bord de l'herbe et débordait sur la route, l'écume tourbillonnnant dessus.

— Brave fille, Dolly, dit la femme.

Une fille. Comme la femme. Comme sa mère. Pas comme lui.

Se levant elle alla au fond de la tente et revint avec un seau, du savon et un bidon à lait. Elle versa de l'eau du bidon dans le seau. Se débarrassant de ses chaussures elle posa un pied sur le bord du bidon à lait et commença à retrousser sa socquette avec son pouce replié. Quand elle fut à moitié baissée, elle gratta son talon avant de rouler complètement la socquette hors de son pied. Admirant son pied bien dessiné elle fit bouger ses orteils et farfouilla entre eux de ses doigts. À la différence de ses jambes ses pieds étaient blancs et propres.

Alors qu'elle enlevait son autre socquette, sa robe glissa vers l'arrière le long de sa cuisse si bien que le garçon vit la chair en haut et la lune en courbe de sa croupe.

Blanche comme ses pieds. Comme la farine.

Il regarda la jument et de nouveau la femme.

Elle se mit à laver ses socquettes. Les bulles vertes et savonneuses entre ses doigts en train de brasser. Des mouches bourdonnant autour de l'écume qui mourait sur le chemin.

— Qu'est-ce que tu peux bien regarder, bon Dieu ?

Ne sachant d'où ils venaient ni pour quelle raison, le garçon entendit sortir de sa bouche les mots « Pas grand-chose ». Les yeux de la femme se rétrécirent, mais cette fois elle eut un sourire.

— Eh bien, est-ce que tu n'es pas le petit chiot gâté ?

Son père lui disait souvent la même chose. Gâté. Mais il ne le disait que lorsque sa mère écoutait. C'était comme un mot secret ; dont ils savaient que l'emploi provoqueraient une dispute.

Quand sa mère le prenait dans ses bras elle était chaude à travers ses vêtements, son tablier, même son manteau. L'uniforme de son père était froid et sentait l'encre.

La bohémienne semblait être chaude. Comme un gâteau qui sort du four. Elle continuait à laver ses socquettes, l'ignorant pour un moment, tandis qu'elle rinçait, essorait, et puis les suspendit à un buisson.

Elles étaient d'un vert plus léger que le velours vert de la queue d'une pie. Plus léger que le lierre. Que la mousse. Un vert d'herbe.

Elle s'accroupit à nouveau sur ses fesses à côté du feu. Il se rendait compte qu'il n'avait plus peur d'elle maintenant. Son visage, ses cheveux, sa robe, ses pieds blancs étaient plaisants à regarder.

— D'où venez-vous ? demanda-t-il timidement, mais avec un sentiment grandissant de supériorité.

Elle rit, ses dents scintillant dans sa bouche ouverte.

— Donne-nous un baiser et je te le dirai. Juste un petit, comme tu donnes à ta maman.

Les deux derniers mots elle les roula dans sa bouche, les faisant tourner, avant de les cracher avec un dard qui s'introduisit droit en lui.

Un sentiment de panique le saisit à nouveau et une fois de plus il fut sur le point de sauter sur son vélo et de filer à la maison. Mais il n'avait pas la force de bouger. De plus que dirait son père s'il disparaissait comme ça ?

Il vit ses poings agripper le guidon, ses phalanges luisant de la tension.

Il sentit sa tête tourner et crut à tout moment manquer s'évanouir.

La femme se redressa.

— Donne-moi ça, commanda-t-elle.

Il n'avait aucune idée de ce qu'elle voulait dire. Maintenant elle pointait son index sur lui.

Terrifié par ce qui pourrait se passer quand son père le saurait, il eut peur qu'elle se mette à lui prendre son vélo. C'est ce que faisaient les romanichels ! Ils commettaient même des meurtres ! !

Ses jambes fléchissaient et s'il n'y avait pas eu le vélo qui le soutenait il serait tombé avec bruit en tas au bord de la route.

— C'est noir de graisse, il l'entendit dire, mais il ne comprenait pas. Je vais te la laver.

Elle restait debout à le regarder, attendant qu'il obéisse, s'impatientant devant sa stupidité.

— Ta socquette, cria-t-elle, je vais te la laver.

— La laver ? La ? Les mots flottaient silencieusement dans sa tête. Puis ils le frappèrent. Maintenant il comprenait. Elle voulait laver sa socquette tachée d'huile.

Jamais, jamais. Sa mère ne serait pas contente. Une bohémienne laver sa socquette ? Il serait la risée de tout le monde. Oh non. Jamais. Il ne pouvait pas.

Mais, comme s'il se fût dédoublé, il se regarda déposer son vélo, fléchir un genou, défaire sa chaussure, ôter sa socquette et la lui tendre. Si son père revenait maintenant et le voyait debout avec un pied nu et la femme du bohémien que lui, il s'apprêtait à arrêter, en train de laver sa socquette, il y aurait du grabuge une fois qu'il serait de retour à la maison.

Il regarda plus haut sur la route dans la direction de la maison chaulée. Ils revenaient. Et voilà sa socquette dans le seau de mousse de savon. Il ne l'aurait jamais à temps en retour. Son estomac gargouillait et il se surprit à danser d'un pied sur l'autre. Elle tenait la partie maculée d'huile de la socquette dans l'étreinte de ses phalanges et de ses doigts en guise de planche à laver et frottait une autre partie de la socquette contre elle, tâchant de faire partir la marque.

Il ne pouvait penser qu'à une chose, combien la socquette paraissait mouillée et combien il serait difficile de la sécher, de la repasser et de l'enfiler avant que son père arrive jusqu'à eux.

La femme le regarda et suivit son regard. Mais elle ne se pressa pas quand elle vit les hommes qui s'approchaient. D'une main pleine de savon elle repoussa ses cheveux sur un côté de son visage découvrant une grande boucle d'oreilles, sourit au garçon et se remit à laver. Maintenant son père et le bohémien n'étaient qu'à environ cinquante mètres.

Il glissa son pied dans sa chaussure et essaya de cacher la cheville nue en la tenant près de son autre jambe.

La femme jeta l'eau savonneuse par-dessus la haie, versa de l'eau claire et commença à rincer la socquette au moment où les deux hommes furent tout proches.

Son père avait son air sévère. En ce moment la femme tenait la socquette par une extrémité et la faisait tournoyer dans l'eau claire. Presque jouant avec.

Sûrement son père avait dû remarquer.

— J'emmène ton homme à la caserne avec moi, dit-il à la femme. Peut-être n'avait-il rien remarqué.

— Mais son thé est prêt, dit la femme marquant peu de défiance.

— Il sera de retour, dit son père, quand j'en aurai fini avec lui.

Il alla vers elle, lui ôta le seau des mains et éteignit le feu dans un grésillement de gerbes d'eau.

La femme était furieuse. De ses yeux elle lui lacéra le visage, la socquette du garçon pendant au bout de ses doigts.

Son homme entra dans la tente. Son père prit du feu éteint quatre carrés à moitié brûlés, en mit deux sur le porte-bagage de son vélo et tendit les deux autres au garçon.

— Tu emportes ceux-là, commanda-t-il. Et ne les perds pas — ce sont des preuves.

Le bohémien sortit en courant de la tente, et allant jusqu'au cheval, le détacha et sauta sur sa croupe.

L'animal endormi saisi de surprise tituba au milieu de la route sans savoir ce qui se passait. Un claquement sec du licou sur son cou et deux coups de talon sur son ventre l'amenèrent à la réalité désirée et, dans un nuage de poussière il galopa au loin, le bohémien agrippant son chapeau dans une main.

Son père jeta une de ses jambes par-dessus son vélo, sa grande botte momentanément restée en l'air tandis qu'il ajustait la selle ; puis appuyant de toute ses forces sur la pédale, tête baissée, dos arrondi, fila à la poursuite du bohémien.

Le bohémien allait aussi vite que possible seulement pour embêter. Pas pour s'échapper. Il savait que c'était impossible. Une fois de plus le garçon était seul avec la femme.

Elle resta debout un moment regardant dans la direction du père du garçon, puis revint au feu éteint, enfin au garçon. Relevant sa robe au-desssus de ses genoux elle se laissa tomber sur le sol.

— Que Dieu flétrisse son visage plein de verrues et de rides et qu'il meure dans des cris. Et c'est ma malédiction solennelle pour aujourd'hui, cria-t-elle au ciel.

Le garçon savait pourquoi elle avait découvert ses genoux. Sa mère lui dit un jour qu'en amour ou quand on maudissait il fallait qu'il y ait de la chair. Maintenant il savait ce qu'elle avait voulu dire. En partie tout au moins.

— Ma socquette, s'il vous plaît, dit-il à la femme.

Ses yeux se rétrécirent et respirant profondément après l'effort dépensé pour la malédiction elle parut vouloir se jeter sur lui et puis avec un soupir las elle se rétablit sur ses hanches et se contenta de le regarder, d'une manière presque suppliante.

Elle tenait toujours sa socquette.

Il était inquiet. Il ne voulait pas demeurer trop en arrière. Il voulait montrer à son père comment il était capable d'apporter sans délai sa part de preuves et sans le moindre risque à la Station.

Mais il ne pouvait arriver sans sa socquette. Il fallait, d'une façon ou d'une autre, qu'elle la lui rende.

— Tu aimerais te joindre aux romanichels ? demanda la femme, ses dents souriant, brillant.

Son cœur commença à battre follement dans sa poitrine. Il inclina son vélo pour pouvoir passer plus rapidement sa jambe par-dessus le cadre. Il serait obligé de revenir à la maison sans la socquette et d'inventer en route un mensonge quelconque à raconter. Et plus tard au lit avec sa mère, dire la vérité.

— Où diable penses-tu que tu vas ? cria la femme.

Le garçon était sûr qu'elle allait le prendre. L'assassiner. L'embrasser. Et le garder pour toujours.

Il s'élança mais la roue avant buta dans un nid-de-poule, le stoppant net. Il lutta pour garder son équilibre mais brusquement le vélo tomba sur un côté et il lui fallut s'en dégager, la secousse envoyant les deux carrés de tourbe sur la route.

Tenant le vélo d'une main, de l'autre il se baissa pour les ramasser. L'un des deux carrés tomba en se brisant en morceaux. Il se mit à pleurer. Des petits gémissements angoissés de peur et de rage.

Il enfouit quelques-uns des morceaux dans ses poches et plaça l'autre carré bien en place sur son porte-bagages.

Alors qu'il se remettait en selle il ne put résister à l'envie de jeter un regard à la femme.

Une brise passait à travers ses cheveux et plaquait sa robe sur son corps. Elle roula sa socquette dans la paume de son poing et la lui lança. Elle l'atteignit juste entre les deux yeux et tomba sur le montant et puis sur la route.

Le visage de la femme était sauvage et fier et triste.

Les socquettes vertes bougeaient en séchant sur la haie.

– Reviens, gentil garçon. Reviens, ange !

Il réussit une nouvelle fois à s'élancer, ses jambes retrouvant de leurs forces à mesure qu'il mettait de la distance entre elle et lui. Mais même à une grande distance il crut entendre son rire hystérique qui l'accompagnait dans le vent.

Quand il s'approcha de la Station il vit le cheval du bohémien attaché au portail de la caserne. Ses jambes avaient la même posture paresseuse qu'au campement.

Il entra dans la salle de garde avec sa « preuve ». Le sentiment de la tâche accomplie diminué de la perte de la socquette.

Mais il n'y avait ni son père ni le bohémien.

Il déposa la tourbe sur la table. Puis il entendit des grogne-ments étouffés et des éclats de voix. Saisi, il alla dans le couloir pour écouter. Silence. Effrayé, il marcha sur la pointe des pieds le long du corridor dallé et, bien qu'il eût décidé de sortir de la caserne, il s'arrêta instinctivement devant la porte de la cellule. Il savait qu'ils étaient à l'intérieur. Derrière la porte massive, tout en verrous, cadenas et gonds.

Un grand trousseau de clefs pendait d'un trou à clefs. Figé devant la porte il écouta dans le terrifiant silence. Pourquoi est-ce qu'ils ne faisaient pas de bruit en ce moment ? Son cou était tourné dans une direction peu naturelle, la tension faisant mal.

Un cri étranglé de rage passa à travers la porte de bois épaisse. C'était son père.

— Tu es entré par effraction dans cette réserve à provisions, est-ce que ce n'est pas vrai ? allez, avoue-le. Et tu peux t'en aller.

Le garçon courut au-dehors. Le cheval leva la tête, ses oreilles pointant en avant.

Son père battait le bohémien. Ce n'était pas juste. Il avait raté son thé et maintenant on le battait. Et sa femme était gentille.

La Station était un grand bungalow de couleur jaune décoré de galets, avec des entrées différentes pour le quartier des hommes mariés et pour la caserne. Les W.-C. eux aussi étaient séparés et les jardins de légumes étaient divisés par un haut mur.

Il n'avait pas l'autorisation de son père pour aller derrière le quartier de la police ; mais il le contourna en courant, prit une échelle de l'appentis et la posa contre le mur extérieur de la cellule.

Le bohémien s'était mis à hurler.

Une mince ouverture dans le mur laissait passer la lumière du jour dans la cellule. Scrutant à l'intérieur il put voir la casquette de son père et une autre tête avec une tonsure dessus. Ça c'était le garde McMurray.

— Tu es entré par effraction et tout ce que tu n'as pas pu emporter tu l'as foulé ! Du beurre, des appareils photo, du pain, des postes radio, des œufs… ce n'est pas la vérité ? cria son père.

Pendant une fraction de seconde il vit le visage du bohémien. Du sang coulait de son nez. Cela n'était pas juste. Simplement pas juste. Il voulait crier « Arrêtez » mais il ne pouvait pas. Il s'entendit crier « Hello » à la place. Il se sentait bête.

Les corps dans le filet de lumière cessèrent de tourner et il vit son père lui jeter un regard en haut.

— Il va pleuvoir, papa, dit-il, étonné de son calme et de la stupidité de sa remarque.

Il y eut des murmures de la part du garde McMurray et il entendit la porte de la cellule s'ouvrir avec bruit.

Descendant de l'échelle il courut à l'avant de l'immeuble. Pour mettre une distance entre lui et son père il franchit la porte et s'assit sur le côté opposé de la route.

Quelques minutes plus tard le bohémien sortit. Il avait son chapeau à la main. Il détacha son cheval, le monta, mais avec moins d'aisance qu'avant, et jetant un regard de côté en direction du garçon s'éloigna au galop.

Son père sortit et marcha vers le quartier des hommes mariés. Le garçon cria dans sa direction :

— J'ai laissé la preuve sur la table, papa.

Son père se retourna pour le dévisager.

— Viens ici, toi.

Le garçon avait peur mais il savait qu'il fallait aller.

Le père le prit doucement par la main et ils revinrent ensemble. Sa mère avait le thé prêt. Le garçon s'assit à la table, gardant sa cheville nue bien sous elle. Jusqu'à présent personne n'avait rien remarqué.

Son père mâchait sa nourriture d'une manière méthodique. Mastiquant, disait-il.

Sa mère jouait en silence avec des miettes. Regardant fixement en bas l'assiette à motif de saule.

Le silence fut rompu par son père qui se mit à grommeler de la profondeur de ses pensées.

— « Affirmatif » il m'a dit, l'animal. « Affirmatif. »

Le garçon rit. Son père le regarda.

— Raconte à ta mère ce qui est arrivé à ta socquette. Toi, le petit chiot gâté.

Sa mère leva la tête, ses yeux de lune jetant des flammes.

Se dégageant d'eux en se tortillant il se laissa glisser à terre.

Sous la table la cheville de sa mère était emprisonnée entre les bottes de son père, et la main de celui-ci enserrait son genou, la robe repoussée vers le haut le long de la cuisse. Il remonta s'asseoir de nouveau à table.

Sur le manteau de la cheminée était un portrait du bon Dieu. Ses yeux les regardaient et l'horloge ponctuait le silence de son tic-tac.

Extrait de *A Border Station*.

DESMOND HOGAN

Souvenirs du Swinging London

Il n'aurait pas su dire quelle avait été la raison qui l'avait poussé à franchir le seuil, un mouvement qui l'avait conduit jusqu'à la façade triste, une impulsion née hors du temps d'un pays qui aujourd'hui lui était étranger mais un pays où il y a dix ans il pleuvait trop, un pays de vieilles pierres marquées par les ans et d'arbres trop verts, trop feuillus.

Il était ivre, bien sûr, la nuit où, titubant, il était entré dans ce lieu à dix heures du soir. Cela faisait trois semaines que Marion l'avait quitté, trois semaines pendant lesquelles il avait bu, de sévère déprime, trois semaines d'échange de plaisanteries salaces avec les types au bureau.

En plus il avait plu cette nuit-là et il était en quête d'un abri.

Elle se sentait fatiguée après le cours de théâtre du soir quand il avait fait sa connaissance, une petite Sœur qui faisait du thé avec une bouilloire marron.

Sa robe était grise et lui arrivait aux genoux et elle parlait avec un accent reconnaissable de Kerry mais aussi avec une élégance qui contrastait avec son accent.

Elle avait sûrement suivi un ou deux cours d'élocution, s'était dit Liam cyniquement, jusqu'au moment où il avait aperçu son visage las, solitaire, marqué par le pis-aller de la souffrance.

Elle avait raté son cours ce soir, avait-elle dit. Rien ne s'était produit, une demi-douzaine de gars de Roscommon et de Leitrim avait quitté la salle, sans être inspirés.

Puis elle avait regardé Liam comme si elle s'était demandé à qui de toute manière est-ce qu'elle pouvait bien parler, un ivrogne irlandais, quoique un ivrogne bien habillé. De fait il était particulièrement bien mis ce soir-là, portant un costume gris bien coupé et une chemise blanche, impeccable à part quelques petites taches de Guinness.

Ils s'étaient mis à parler avec plus d'assurance une fois qu'il était devenu moins ivre. Il s'adossa tandis qu'elle versait le thé.

Elle venait de Kerry, dit-elle, de Kerry Ouest. Elle avait passé quelques mois en Afrique et quelques mois aux États-Unis, mais c'était son premier poste véritable, à l'exception d'une période comme enseignante en gestion domestique dans un couvent de Kerry. Ici elle était tout à la fois infirmière, domestique et enseignante. Elle apprenait aux jeunes hommes de Mayo et de Roscommon comment faire bouger leurs corps ; elle était devenue passionnée de théâtre en assistant à un cours à l'université à Dublin. Cet intérêt n'avait pas faibli quand elle avait enseigné la gestion domestique à Kerry, une tâche pour laquelle elle était peu qualifiée, ayant suivi des cours de littérature anglaise à Dublin.

— Je suis une sorte d'assistante sociale, dit-elle, on me donne ces jeunes hommes pour que je travaille avec eux. Ils viennent ici à la recherche de quelque chose. Je leur donne du théâtre.

Elle avait mis en scène Eugene O'Neill dans Kerry Ouest, elle avait mis en scène Arthur Miller dans Kerry Ouest. Elle avait formé de jeunes hommes là-bas, mais d'un genre différent, des employés de banque. Ici elle avait en main des ouvriers, des ivrognes.

— Comment avez-vous trouvé cet emploi ? demanda Liam.

Elle le regarda, étonnée par sa façon directe.

— Ils cherchaient un lieu qui convenait pour placer une Sœur de la charité qui soit zélée, dit-elle.

Il y avait du cake au citron glacé de sucre dans un angle de la pièce, et elle vit qu'il lui jetait un regard et lui demanda s'il en aimerait un peu, s'excusant de ne pas lui en avoir proposé plus tôt. Elle le coupa avec cérémonie, le servant sur une assiette à bordure bleue.

Il picora.

— Et vous ? dit-elle, vous venez de quelle région de l'Irlande ?

Il lui fallut y réfléchir un moment. Cela faisait si longtemps. Comment lui parler des rues pavées de pierre crayeuse et des arbres détrempés ? Comment pourrait-il la convaincre qu'il ne mentait pas en débitant des histoires d'une adolescence depuis longtemps révolue ?

— Je viens de Galway, dit-il, de Ballinasloe.

— Mon père allait dans le temps à la foire aux chevaux là-bas, dit-elle.

Et puis elle se lança encore sur le Kerry et les fermes jusqu'à ce que tout à coup elle se rende compte que ç'aurait dû être à lui de parler.

Elle le regarda mais il ne dit rien.

Il était en paix. Il avait une tasse de thé, un petit morceau de cake au citron qui était resté.

— Vous êtes ici depuis combien de temps ? demanda-t-elle.

— Dix ans.

Il n'était pas expansif dans ses réponses.

L'effet de l'alcool s'était dissipé dans son corps et il était assis comme il ne l'avait pas été depuis des semaines, buvant du thé, en paix. En fait, quand il y réfléchissait, il n'avait pas été comme ça depuis des années, assis tranquillement, n'étant plus tourmenté par les souvenirs d'Irlande mais se sentant quitte avec eux, souvenirs de vert et de gris crayeux.

Elle l'invita à revenir et il ne revint pas pendant quelques jours. Mais comme toujours quand il s'agit de deux personnes qui se rencontrent et éprouvent une réelle sympathie l'un pour l'autre ils étaient destinés à se revoir à nouveau.

Il la vit un soir à Camden Town, se dit que son goût au lycée pour Keats et Byron se justifiait de quelque façon. Elle n'était pas pressée, un sac de légumes à la main, lui demandant pourquoi il n'était pas venu. Il lui dit qu'il avait eu l'intention de venir, qu'il allait venir. Elle sourit. Elle devait s'en aller, dit-elle. Elle était résolue.

Après ça il but, une pinte de Guinness. Il retournerait, se dit-il à lui-même.

En fait tout se passait comme si quelque force de persuasion l'entraînait, une aisance dans la conversation qui existait entre lui et Sœur Sarah, un absence de gêne pendant les silences.

Il prit un bus de son coin de Shepherd's Bush pour Camden Town. La pluie était coupante, obscurcissant le soir. Sa première idée fut de prendre un bus pour rentrer chez lui mais troublé il continua.

Entrant dans le centre il entendit tout d'un coup de la musique l'envahir, Tchaikovski, *Le Lac des cygnes*. Accédant à la salle il vit une demi-douzaine de jeunes hommes en jerseys noirs, en pantalons bleus, en train de mourir, tout à fait comme des cygnes.

Elle le vit. Il la vit. Elle ne quitta pas la répétition, ne lui adressa qu'un seul signe de reconnaissance et reprit, sa voix se répercutant dans la salle, parlant de mouvement, de la nécessité d'identifier les vraies lignes de son corps et de flotter avec.

Oui, il se souviendrait toujours de cela, « les vraies lignes de son corps ». Quand elle eut fini de parler, elle vint à lui. Il se tint là, conscient qu'il était un étranger, pas en jersey noir.

Puis la répétition du soir s'acheva avec encore de la musique, Beethoven cette fois, et les jeunes hommes de Roscommon et de Mayo avaient des manières contraintes de ballerines comme ils simulaient le crépuscule.

Ils se mirent ensuite à parler de nouveau. Dans la petite cuisine.

— Crépuscule est le mot pour l'équilibre entre la nuit et le jour, dit-elle. Je leur ai demandé d'être détendus, d'être conscients du temps qui passe à travers eux.

La petite Sœur avait une course à faire.

Seul, là, Liam fuma une cigarette. Il pensait à Marion, sa femme qui était partie dans le Nord à Leeds, fatiguée de lui, du mariage, de leur histoire bizarre. Elle avait travaillé comme réceptionniste dans un théâtre.

Elle avait abandonné son travail, s'en était retournée chez sa mère, avait quitté la grande ville pour la fumée du Nord. Bref, son mariage était fini.

Regardant la poubelle Liam prit conscience du fait qu'il se sentait plus disposé maintenant à accepter la chose. Pendant un temps il avait d'une certaine façon pensé qu'on se mariait pour la vie, mais voilà, un mariage rompu et des nuits à remplir, un corps à abriter, une vie à mener.

Un jeune homme aux cheveux blonds bouclés fit son entrée. Il cherchait Sœur Sarah. Il s'arrêta, étonné, quand il vit Liam. Ces jeunes hommes étaient comme une sorte de bataillon spécial des soldats de la garde dans leur jerseys noirs. Lui était un intrus, en paix, presque anglais, son visage, ses traits détendus, pas grossiers ou rougeauds. Le jeune homme dit qu'il était de Roscommon. C'était tout près du pays de Liam.

Il parla de fermes, de cochons, dit qu'il lui avait fallu partir, aller à la ville, à la recherche de la lumière des néons. Maintenant il l'avait trouvée. Jamais il ne retournerait au pays. Il était heureux ici, la grande ville, beaucoup de gens, un fleuve sale et une population où on trouvait toutes les races.

— Mais les bals me manquent, dit le garçon, les bals des dimanches soir, il n'y a rien de tel à Londres, les voitures entassées les unes sur les autres et la salle de bal qui saute sur la musique de Big Tim et des Mainliners. Ça vous manque à Londres mais il y a d'autres choses qui compensent.

Quand Liam lui demanda ce qui compensait le plus la perte des salles de bal des dimanches soir frais dans les champs verts, le garçon dit : « La liberté. »

Sœur Sarah entra, sourit au garçon, s'assit à côté de Liam. Le garçon lui posa des questions à propos d'une pièce qu'ils avaient l'intention de monter et partit, détournant la tête pour sourire à Liam.

Sarah — son nom venait sans le préfixe maintenant — parla de la nécessaire présence du théâtre dans les écoles, dans l'enseignement.

— C'est une force libératrice, dit-elle. Il fait sortir — elle hésita — l'hirondelle qui est à l'intérieur des gens.

Et ils rirent tous les deux, amusés et contents de l'absurdité de la description.

Plus tard il l'imagina seule dans un couloir, une Sœur dans un vêtement court, réfléchissant ce soir-là sur les conséquences de ses mots, faisant une pause avant de plonger l'endroit dans l'obscurité.

Il lui dit qu'il reviendrait et cette fois il le fit, s'assit parmi les garçons de Roscommon et de Tipperary en train d'improviser des situations. Elle lui demanda d'être un soldat qui revient du front, et il joua le rôle avec gêne, se rappelant que lui aussi avait été soldat à une époque, un garçon devant une caserne en Irlande, à côté d'un parterre de crocus. Les gens sourirent de cette innocence mise à mal, de cet effort d'improvisation. Sœur Sarah avait toujours le sourire. Au milieu d'une marche simulée il s'arrêta.

— Je ne peux pas, je ne peux pas, dit-il.

Les gens sourirent, laissez-le tranquille.

Il marcha jusqu'à l'arrêt du bus, seul. La pluie allait le cloîtrer, l'hiver arrivait. Elle le blessait durement ce soir. Il passa devant un sex-shop, le néon dansant sur les instruments dans la vitrine. Le sourire pornographique d'un comique britannique s'exposait à un étal de journaux.

Il attrapa son bus.

Le sommeil le prit à Shepherd's Bush. Il rêva d'une école que dans un passé lointain dans le comté de Galway il avait fréquentée pendant quelques années, d'urnes debout dans les vestiges d'un passé géorgien.

Au travail on fit la remarque qu'il changeait. On notait une plus grande sérénité. Une certaine aisance dans sa façon de tenir une tasse. On l'en blâmait du regard.

Martha McPherson le dévisagea, dit d'une façon sarcastique :

— Vous semblez rempli d'espoir.

Il était en train de penser à Keats dans la cantine au moment où elle lui avait parlé, à des mots d'un passé lointain, à des phrases de livres moisissants au lycée au début de l'automne.

Maintenant son appartement était mieux rangé ; il y avait un espace pour les livres qui n'existait pas avant. Il se mit à écrire une lettre à la famille, s'arrêta, ne parvenait pas à envisager sa mère, une vieille femme près d'une mer de marécages.

Sœur Sarah annonça un projet pour une pièce qu'ils donneraient à la Noël. La pièce serait improvisée, morceau après morceau, et elle sollicita des idées pour son contenu.

Un garçon de Leitrim dit :

— Faisons un spectacle sur les bohémiens.

Le rôle d'un roi bohémien échut à Liam et petit à petit pendant des semaines il tenta de vaincre, de vaincre encore une fois sa timidité, en jouant de petites scènes.

Les gens se moquaient de lui. Il se sentait humilié, noué à l'intérieur. Mais il continua.

Son visage retrouvait forme, devenait plus affirmé que par le passé, et dans ses yeux il y avait un sombre éclat perçant. Il fit des discours, tâchant de se rappeler la façon qui était celle ces bohémiens dans son pays, les longues files qu'ils formaient les soirs d'hiver, les camps sur les chemins à la campagne, la fumée s'élevant alors que le soleil se couchait sur des clochers lointains

Il parlait moins à ses collègues, davantage à lui-même, formulant et reformulant de vieilles questions, se demandant pourquoi, en fin de compte, il avait quitté l'Irlande, lui, garçon, seize ans, se sentant seul, très seul, sur un bateau se frayant un passage à travers une nuit d'hiver.

— Je crois que j'ai quitté l'Irlande, dit-il un soir à Sœur Sarah, parce que je me sentais totalement inadapté. Les prêtres de l'école n'acceptaient pas mon caractère indépendant. Ma mère faisait des ménages. Mon père était mort. J'étais un jeune homme mature qui aimait les femmes, qui avait un ami à l'école, un garçon qui écrivait de la poésie.

Je suis venu en Angleterre pour trouver des raisons de vivre. Je suis descendu chez mon frère aîné qui travaillait dans une usine.

Au cours de ma première semaine en Angleterre un homosexuel grec qui vivait au-dessus m'a demandé de coucher avec lui. Cela mit fin à mon innocence. Je suis arrivé à maturité plus ou moins à cette époque, je suis devenu adulte très, très jeune.

1966, l'année où il quitta l'Irlande.

Sonny et Cher chantaient *I've got you, babe.*

Londres se préparait à son efflorescence, les Swinging Sixties s'étaient accordées au rytmme de Carnaby Street, aux discothèques, aux parcs. Les cravates resemblaient à d'énormes fleurs, de jeunes hippies s'asseyaient dans les espaces verts. Et en 1967, l'année où *Sergeant Pepper's Lonely Hearts Club Band* sortit, une génération de jeunes hommes et de lunettes d'écaille ressemblant à John Lennon.

— C'était comme une fête, dit Liam, une fête sans fin. Je me nourrissais, je m'abreuvais à cette fête.

Puis j'ai rencontré Marion. Nous nous sommes mariés en 1969, l'année où Brian Jones est mort. Il me semble que notre lune de miel s'est passée à ses funérailles. Ou du moins à Hyde Park où Mike Jagger lut un poème à sa mémoire. « Ne pleurez plus parce que Adonis n'est pas mort ».

Sœur Sarah sourit. Manifestement elle aussi aimait la poésie romantique, elle ne disait rien, elle ne faisait que le regarder, avec un sourire long et lent.

— Je comprends, dit-elle, bien qu'il ne savait pas à quoi elle faisait référence.

Les images devenaient plus précises maintenant, l'Irlande, les quarante marches de l'école, les vestiges d'un passé géorgien, les premières maîtresses, par-dessus tout les poèmes de Keats et de Shelley.

À l'exception des prêtres, il y avait eu des choses touchant au lycée qu'il avait aimées, les images suscitées par les poèmes, la célébration de l'amour et du rire par Keats et Shelley, l'excitation de trouver un nouveau poème dans un livre.

Elle ne lui parlait pas beaucoup ces jours-ci, ne faisant que le regarder. Il commençait à se sentir chez lui, à être lui-même dans cet environnement de jeunes hommes rustres.

D'une façon ou d'une autre elle l'avait séduit.

Il portait désormais des chemises blanches, propres, fraîches et décontractées, avait l'air ailleurs à son travail, ses cheveux tombant sur son front comme à l'époque de son adolescence. Quelqu'un fit la remarque que ses yeux étaient bleus et clairs, et dit que c'étaient des yeux irlandais, et il savait qu'une telle identification n'avait pas été aussi absolue depuis des années.

— « Ils vinrent comme des hirondelles, et comme des hirondelles s'enfuirent », récita un soir Sœur Sarah.

C'était un vers d'un poème de Yeats, qui faisait allusion à Coole Park, un endroit pas très éloigné de la maison de Liam, où les écrivains irlandais légendaires se retrouvaient, Yeats, Synge, Lady Gregory, O'Casey, et tant d'autres, laissant leurs traces dans un écrin de verdure, d'écorce, d'arbres frêles et vierges. Et d'une certaine façon en ce moment Liam s'associait à cette cohorte de figures indisctinctes et évanescentes ; il était irlandais. Pour cette raison même il se sentait fort maintenant. Il venait d'un pays vilipendé en Angleterre mais un pays qui, génération après génération, avait produit du génie, et un sens de l'observation extraordinaire.

Sœur Sarah faisait faire aux gens des choses singulières, danser, chanter, les garçons s'habillant comme des filles, les adultes sautant à saute-mouton comme des enfants. Elle avait demandé à Liam de se parer de vieux vêtements, avec des fleurs en papier dans son chapeau.

Le sujet de la pièce était le suivant :

Deux familles de bohémiens se sont déclaré la guerre. Un garçon appartenant à l'une des deux tombe amoureux d'une fille de l'autre. Ils s'échappent et sont pourchassés par Liam qui joue le Roi des bohémiens. À la fin il les retrouve mais ils se tuent plutôt que d'être séparés et sont enterrés tandis que le Roi des bohémiens fait un discours sur l'avarice et la sottise de l'être humain.

Personne ne crut bon de demander si elle n'était pas trop triste pour Noël ; il y avait beaucoup de scènes amusantes, des fêtes de village, des combats, des vols de chevaux, et le discours final dont le contenu en s'écoulant de la bouche de Liam avait une beauté, une élégance qui clouèrent net les jeunes hommes de Roscommon, habitués qu'ils étaient aux robustes chanteurs irlandais des formations, et les frappa de stupéfaction à cause de la beauté de la langue.

Un peu avant la soirée où la pièce devait être jouée Sœur Sarah devint un peu irritée, un peu fatiguée. Elle travaillait trop, assurant ses cours le jour. Elle ne parla pas beaucoup à

Liam et il se sentit blessé et désorienté. Pendant deux soirs de suite il ne se montra pas aux répétitions. Il téléphona et dit qu'il était malade.

Il donna une fête. Tous ses anciens amis s'y rendirent ainsi que les amis de Marion. L'appartement bruissait de l'animation des gens. Les disques s'écrasaient contre la nuit. Les invités dansaient. Liam portait une chemise blanche sans col et échancrée. Une croix en argent pendait, une croix trouvée dans une boutique d'artisanat à Cornwall.

Au cours de la fête une fille devint de plus en plus ivre et se mit à pleurer en évoquant l'avortement qu'elle venait de faire pratiquer. Elle était assise au milieu du plancher, pleurant bruyamment, attendant que quelqu'un vienne.

À la fin Liam vint à elle, la prit dans ses bras, lui proposa une tasse de thé. Elle se calma. « Merci », dit-elle simplement.

Les gens repartirent chez eux. Les bouteilles traînaient un peu partout. Liam prit son manteau, marcha jusqu'à un café ouvert la nuit, et comme il ne travaillait pas le lendemain, regarda l'aube venir.

Elle ne fit pas de remontrances à Liam. Les choses continuèrent comme par le passé. Il joua son rôle, accoutré de vêtements ridicules. Sœur Sarah était d'humeur plus légère. Un soir, un soir froid de décembre, elle but un sherry avec Liam. Comme Noël approchait elle se mit à parler des festivités de Kerry. Des danses au carrefour à Dun Caoin, de la gaieté de Kerry qui durait toujours. Elle raconta à Liam comment son père l'emmenait à l'église en voiture le dimanche de Pâques, comment ils assistaient à la bénédiction des eaux, et plus tard ils dansaient au carrefour, des accordéons jouant et le violon irlandais.

Il n'y avait rien eu de semblable dans la jeunesse de Liam. Il était venu des Midlands, d'un vert terne, des statues de la Vierge Marie devant des usines. Il avait eu l'avantage de connaître la défaite dès son plus jeune âge.

— Vous devriez aller un jour à Kerry, dit Sœur Sarah.

— J'aimerais bien, dit Liam, j'aimerais bien. Mais il est trop tard maintenant.

Mais quand les musiciens vinrent répéter Liam sut qu'il n'était pas trop tard. L'Ouest de l'Irlande avait pu lui manquer dans sa jeunesse, la simplicité du peuple gaélique, mais maintenant ici à Londres, avec l'explosion des accordéons, il se sentait dans une Irlande qu'il n'avait jamais connue, l'extrémité Ouest, les ravines, grottes, péninsules, routes qui serpentaient dans des collines profanées et des nuages qui ne cessaient d'affluer. « Imagine, pensa-t-il, tu n'as même pas vu la mer. »

Un soir il lui parla du cinquantième anniversaire de la révolution de 1916 qui avait eu lieu avant son départ, des vieux prêtres à l'école recourant à des mots maladroits pour évoquer les héros morts, des drapeaux tricolores sales flottant sur l'école et des jeunes prêtres, beaux comme des dieux, récitant la poésie de Patrick Pearse.

— Quand les bombes firent leur apparition en Angleterre, dit Liam, et qu'on nous a accusés, nous la masse ordinaire des travailleurs irlandais, je savais que c'étaient eux, ces prêtres, qui en portaient la responsabilité, ces gens qui nous avaient menti sur des faits glorieux. La violence n'est jamais, jamais glorieuse.

Il la retrouva un jour en ville pour boire une tasse de café et elle rit, disant que c'était presque comme s'ils avaient une affaire. Elle dit qu'elle avait eu une fois un penchant pour un garçon à Kerry, un garçon qu'elle avait dirigé dans *All My Sons*[1]. Il avait des cheveux blonds et drus, avait des reproductions de Renoir dans sa chambre, était employé de banque. « Mais il est parti avec une autre fille », dit-elle, « et m'a brisé le cœur. »

---

1. Pièce d'Arthur Miller, datant de 1947 (*N.D.T.*).

Un jour il la retrouva dans Soho Square Gardens et ils se promenèrent tous les deux. Elle parla de l'Afrique et des États-Unis, de voyages, de la mission de l'Église moderne, de la rédemption des âmes égarées dans un bourbier d'indifférence. À Tottenham Court Road elle lui dit au revoir.

— À la prochaine répétition, dit-elle.

Il resta planté là comme elle s'éloignait et voulait lui dire qu'elle avait fait naître en lui le désir d'un pays oublié depuis longtemps, la conscience d'un autre visage de ce pays, la musique, le théâtre, la légèreté, mais ce n'était pas possible de dire de telles choses.

Quand finalement le soir de la représentation arriva il tint bien son rôle. Mais tout le temps, tout le temps il l'avait cherchée du regard.

Ensuite il y eut des fêtes, des ballons qui s'élevaient dans l'air, des banquiers irlandais en train de se saouler. Il s'assit et attendit qu'elle vienne le voir, et comme elle ne le fit pas il se leva et alla à elle.

Elle parlait à un ouvrier irlandais âgé.

Il resta là, patiemment, pendant un moment. Il voulait qu'elle lui parle des lumières de Noël en Irlande autrefois, de la musique de O'Riada et des baleines qui allaient vers le sud. Mais elle continuait à parler au vieil homme au sujet de Noël à Kerry.

Finalement il dansa avec elle. Elle appuyait son bras doucement. Il savait maintenant qu'il était amoureux d'elle et ne savait pas comment le lui dire. Elle le quitta et parla à d'autres gens.

Plus tard elle dansa encore avec lui. C'était comme si elle voyait dans ses yeux quelque chose de menaçant.

— Je dois m'en aller maintenant, dit-elle alors que la musique jouait toujours. Elle toucha doucement son bras, s'en alla. Il la chercha ensuite du regard mais ne la trouva pas.

De jeunes hommes avec qui il avait joué s'approchèrent et se mirent à lui donner des tapes dans le dos. Ils plaisantèrent et ils rirent. Brusquement Liam se dit qu'il allait se trouver mal. Il n'alla pas aux toilettes. Il alla plutôt dans la rue. Puis il vomit. Il peuvait. Il fut tout trempé en rentrant chez lui.

À Noël il assista à la messe de minuit dans la cathédrale de Westminster, chose qu'il n'avait jamais faite auparavant. Il resta debout en compagnie de femmes en manteau de vison et de femmes de ménage irlandaises tandis que le chœur chantait *Come all ye faithful*. Il passa le jour de Noël avec une vieille tante et appela Marion au milieu de la journée. Ils ne se dirent pas grand-chose ce jour-là mais après la Noël elle vint le voir.

Un soir ils dormirent ensemble. Ils firent l'amour comme ils ne l'avaient pas fait pendant des années, lui la pénétrant profondément, avec résonance, pensant au Galway d'un passé lointain, à une rivière où ils nageaient enfants.

Elle resta après Noël. Ils étaient plus tendres l'un envers l'autre. Marion fut enceinte. Elle travailla pendant un certain temps et quand sa grossesse fut trop visible, elle quitta son travail.

Elle se promena beaucoup. Il s'étonna de ne pas avoir remarqué avant à quel point une femme, sa femme, pouvait être belle. Un jour qu'ils traversaient Camden Town il se souvint d'une Sœur qu'il avait connue à une certaine époque. Il parla d'elle à Marion, lui proposa d'entrer avec lui, poussa la porte, demanda Sœur Sarah.

Quelqu'un qu'il ne reconnut pas lui dit qu'elle était partie pour le Nigeria, qu'elle avait préféré le soleil africain aux garçons en jerseys noirs. Pendant une folle seconde il songea à aller la retrouver pour lui dire que les gens comme elle étaient trop rares pour qu'on les perde mais il savait qu'aucune parole qu'il pourrait dire ne la convaincrait. Il prit la main de sa femme et poursuivit ainsi sa vie, plus calme qu'il ne l'avait été avant.

Extrait de *The Mourning Thief and Other Stories*.

AIDAN MATHEWS

Dans le noir

Dans la maison des O Muirithe les lumières s'étaient éteintes partout, et Harry et Joan étaient forcés de se parler. Après une journée difficile, c'était la goutte d'eau qui faisait déborder le vase. À franchement parler, ce n'était pas la dernière. Après tout, ils étaient mariés depuis vingt-sept ans, et comme il se doit ils n'avaient rien à se dire.

— Les salauds, dit Harry. Bandes de salauds. Ils ont dit vingt heures. Ils l'ont juré.

— Je sais, dit Joan. Je sais que c'est ce qu'ils ont dit.

— Zone B. Pas de risque après vingt heures. On ne peut pas leur faire confiance.

— Il n'est guère que vingt heures dix.

— Je te l'dis, dit Harry. La prochaine maison qu'on achètera sera...

— ... À deux pas d'un hôpital, dit Joan.

— À deux pas, dit Harry. Si près, si proche qu'on pourra entendre les médecins dans le parc et les bébés wallabies du zoo en train de sortir leurs têtes des poches de leurs mères.

Mais ça avait été les interférences dans le poste de radio qui avaient toujours mis son fils en colère si bien qu'il était parti dans un moment de dépit. (Ceci, pendant que j'y suis, est la première de quatre digressions, et libre à vous, si vous le souhaitez, de ne pas en tenir compte. Pour ma part, je jouerai franc-jeu en précisant chacune d'entre elles par l'emploi de parenthèses.)

— … du service de gériatrie.

— Et des infirmières à l'heure du thé, dit Joan.

— Et des infirmières à l'heure du thé, dit Harry. Raclant l'ultime cuillerée de yaourt aux fraises.

— L'année prochaine, dit Joan.

— L'année prochaine, dit Harry.

Un long silence s'ensuivit. La pendule à piles sur le manteau de la cheminée fit son tic-tac, comme font les pendules à piles, et les rideaux bougèrent, mais pas beaucoup.

— Je pourrais allumer le gaz.

Mais ceci était typique de Joan : tâcher de voir le bon côté des choses.

— Ce n'est pas la peine.

— Pas pour la chaleur. Pour la lumière. Ce serait agréable pour Johnny et Avril.

— Tu ne verrais pas le bout de ton nez sous l'escalier. Tu te fendrais le crâne.

Joan fut blessée par cela. Non pas qu'elle le remarquât. Elle était autant habituée à être blessée que d'avoir cinquante ans.

— J'aurais raté mon bus si jétais restée pour l'allumer, dit-elle. Je devais être partie à huit heures.

— Est-ce que je me plains ? Est-ce que j'ai prononcé la moindre parole de récrimination ? Tu ne devrais pas avoir à l'allumer. Laisse Johnny l'allumer.

— Essaie de demander à Johnny de l'allumer. L'allumer, tu parles. Johnny ne saurait même pas comment rouler un journal.

— Faut pas lui demander. Faut lui dire. Faut lui ordonner. Demander ne te mène à rien. Dire ne te mène nulle part. Dans ce monde, c'est une question de bottes. Utilise la botte. Attends, où sont les autres bougies ? Ces deux-là ne valent rien. Elles ne tiennent pas debout. Elles pourraient mettre le feu à toute la baraque. Il faut d'abord faire fondre l'extrémité en bas. Faire fondre l'extrémité de l'une d'entre elles avec la flamme de l'autre. Puis tu la plantes en équilibre dans la soucoupe pendant que la cire durcit de nouveau. Tu me suis ?

— Je ne suis pas une idiote, dit Joan. Ne me parle pas comme si j'étais une idiote.

— Je ne dis pas que tu es une idiote. Je ne suggère pas que tu es une idiote. Je n'aurais jamais eu l'idée d'aller à l'église. Je croyais que de nos jours les bougies étaient électriques. Au moins elles l'étaient la dernière fois que j'y suis allé. Tu t'es bien débrouillée. Mes compliments.

— Maintenant tu prends un air protecteur. Ne prends pas cet air avec moi.

Harry avait voulu dire des mots agréables. Il avait voulu dire des mots agréables et il avait été mal compris. C'était l'histoire de sa vie. L'histoire de sa vie pourrait se résumer en une seule expression : « mal compris ». Mais il serait patient. Il n'allait pas se venger.

— Tu as pris ton Melleril ? demanda-t-il avec aménité. Ou bien est-ce qu'une fois encore tu as oublié ?

Et puis, avant même que Joan ait eu le temps de répondre, il était en train de fourrager bruyamment parmi les bougies qui restaient.

— Voilà, dit-il. Que penses-tu de celle-là ?

— Laquelle ?

— Voilà. Où est ta main. Celle-là.

Joan la renifla.

— Harry, c'est cette bougie qui dégage un parfum épouvantable. Celle-là je ne la supporte pas.

— Mais elle nous donnera plus de lumière. Et nous avons besoin de plus de lumière. Celles-ci sont ridiculement petites. Elles sont destinées aux reliquaires.

— La reliquaire de saint Judas, dit Joan, ce qui en soi était, si l'on prend la peine d'y réfléchir, une excellente réponse. C'est-à-dire, si vous connaissez vos saints, et Harry ne les connaissait pas. Mais ça valait quand même le coup d'être dit, et personnellement je tiens cette réponse pour le point culminant de cette histoire. Harry frotta une allumette. Elle s'alluma après la troisième tentative, éclairant leurs visages d'une façon absolument peu flatteuse, et remplissant la pièce de leurs ombres.

— Harry, cette senteur parfumée me rend malade, dit Joan.

— Eh bien, je ne veux pas rester simplement accroupi ici dans le noir le plus total. Je n'ai pas cessé de travailler depuis que je me suis levé. Sûrement, pour l'amour de Dieu, je peux…

— Je n'ai pas non plus cessé de travailler, dit Joan. Depuis que je suis de retour de mon travail j'ai travaillé. Je fais la lessive à la main. Il m'a fallu sortir à nouveau pour chercher les bougies. Dans la pluie.

— Violons, dit Harry doucement. Violons.

— C'est positivement l'enfer. Ils ne font jamais grève en été. Ils la font quand le noir est là.

Harry s'était éloigné sans bruit du petit cercle de lumière dans lequel il s'était tenu assis. Il savait très bien pourquoi il l'avait fait, mais ce n'était pas pour se venger. C'était une question de principe. Il se sentait de nouveau incompris.

— Harry, Harry, où es-tu ?

— Au Nigeria, dit-il. Où est-ce que tu crois que je suis ?

— Tu es sûr que tu vas bien ?

Harry put émettre un petit râle. Il tâcha même de le faire durer, mais ses voies respiratoires étaient dégagées. Qu'importe, cela produisit l'effet désiré

— Tu es à bout de souffle ?

— Un peu. Un peu à bout de souffle. Ça passera.

— Assieds-toi, Harry. Assieds-toi et tiens ta tête dans tes mains.

(Le père de Harry était mort attaché à un appareil respiratoire, et Harry avait persuadé Joan que cette insuffisance était héréditaire. Il s'en était presque persuadé lui-même. Des inhalateurs étaient placés en divers points statégiques de la maison, et ils servaient à amortir les éclats nés des conflits maritaux. Après tout, peut-être que demain Harry ne serait plus là, et il ne fallait pas avoir à regretter des paroles dites sous l'empire de la colère. Ça ne faisait que cinq ans que, afin d'ajouter au pathétique de la levée de son père, son mari avait pris le bus pour revenir de la chambre funéraire et était resté assis à regarder l'épisode de *Charlie's Angels* sans prononcer le moindre mot, laissant ainsi refroidir le poulet rôti sur le plateau : Joan n'avait rien oublié de tout cela, et paniquait facilement.)

— … et tiens ta tête dans tes mains.

— Je tiens ma tête dans mes mains.

— Quand est-ce que tu crois que nous aurons de la lumière, Harry ?

— Quand nous arriverons au bout du tunnel. Et pas avant.

— On est en enfer.

Il y eut un long silence. La pendule à piles sur le manteau de la cheminée faisait toujours tic-tac ; et les rideaux bougeaient, mais pas beaucoup.

— Ce qu'il nous faut, décida Harry, c'est quelqu'un comme Mussolini. Benito aurait su ce qu'il fallait faire. Aligner les meneurs. Leur tirer dessus. Finito. Ça c'est la seule chose qui aurait des chances d'amener ces gars à la raison. Les obliger à se serrer la ceinture. Deux barillets. Pas de foutues grève à cette époque-là.

Joan fut soulagée. Harry avait respiré sans râler une seule fois.

— Ça ne serait pas si mal s'ils étaient mal payés, dit-elle.

— Oui, je t'assure, dit Harry. On peut dire beaucoup de bien d'un homme comme Mussolini.

— Tu es de mauvaise humeur simplement parce que tu es en train de rater ton programme.

— Ah ! je savais bien que tu allais dire ça, dit Harry.

— Je me demande pourquoi tu te dépêches de rentrer à la maison pour regarder un idiot pareil.

— Je ne me dépêche nulle part. Je n'ai pas l'énergie. Je travaille trop.

— Et il n'est même pas drôle, dit Joan.

— Mon Dieu, si j'avais à choisir entre Benny Hill et… Mère Teresa, je sais pour qui je voterais.

— Que des fesses et des ricanements, dit-elle. Et vous tous les deux assis là — avec vos rires étouffés. Tu ne vaux pas mieux que Johnny.

— J'ai pris une décision, dit Harry, qui ne l'avait pas encore prise. Je *vais* fumer.

— Tu ne peux pas, Harry. Pas maintenant. Pas après trois semaines.

— Je ne peux pas avoir un repas chaud, dit Harry. Je ne peux pas regarder *Benny Hill*. Je ne peux pas avoir une conversation normale à propos de choses normales. La seule chose qui me reste c'est de fumer à mort.

— Tu ne dois pas céder.

— Donne-moi une bonne raison.

— Tu vivras plus lontemps.

— Doux Jésus, dit Harry avec une brusquerie qui l'étonna presque lui-même. Ça c'est la meilleure foutue raison pour que je recommence.

Un bruit dans le couloir fit sursauter Joan.

— Harry, arrête, ils arrivent. Et fais un effort pour moi. Ne l'appelle pas Shelley. S'il te plaît. C'est pas du tout gentil.

Mais Harry n'était pas d'humeur à mettre la sourdine.

— J'aimais beaucoup Shelley. Elle était bien pour Johnny. En plus, elle était médecin. Celle-là est infirmière. La prochaine fois sans doute il sortira avec la concierge.

La voix de Johnny retentit dans l'obscurité de la porte d'entrée :

— Docteur et Mme Livingstone, dirait-on ?

Et puis Avril, plus timidement.

— Hello, M. O Moorithe.

— Shelley, dit Harry.

— Avril, répliqua-t-elle.

La fille était à l'évidence lourdingue : il n'y avait pas une once de malice dans sa voix.

— La force de l'habitude, dit Harry à l'obscurité. *Mea culpa.*

— Avril, ne fais pas attention à mon pater, dit Johnny. Il a les nerfs en pelote. Il a cessé ses clopes.

Mais Avril ne réagit pas. Shelley aurait montré plus de cran.

— Hi, Mme O Moorithe.

— Hello, chérie. Attention où tu mets les pieds. J'ai un plateau par terre quelque part.

— Je ne supporte pas la façon dont elle le prononce, murmura Harry à Johnny, pas assez bas pour ne pas être entendu. « O Moorithe ». Tu ne peux pas lui demander de le prononcer correctement ? Shelley n'a jamais eu aucun problème, mais après tout Shelley…

— Tout dépend de la manière dont tu ouvres les lèvres, dit Johnny. Je m'en occuperai plus tard.

(D'ordinaire Johnny n'était pas insolent ; en fait, l'aptitude lui manquait de ne pas faire autrement que de ne pas aimer énormément son père, circonstance qui fait qu'il a été choisi pour cette histoire, puisque dans une histoire les données doivent s'accorder avec ce domaine fabuleux dont nous disons tant de mal – la vie ordinaire. Mais il avait été en train d'étudier jusque tard à la Bibliothèque nationale, et Avril était arrivée pour le prendre au moins une heure après l'heure convenue. Il avait fait semblant d'en être irrité, mais à peine ; donc Avril lui avait dit que plus tard dans la soirée elle enfilerait sa tenue d'infirmière, et qu'elle lui donnerait la permission de lui donner la fessée avec un journal enroulé quand elle serait sur ses genoux. Il avait

eu une érection depuis lors, et n'avait plus peur de qui que ce
soit, même pas de son père.)

— Ce n'est pas drôle, dit Avril à Joan. Je parie que dans
neuf mois il y aura des flopées de bébés.

— Ne lui donne pas des idées, dit Joan.

Mais elle aimait bien Avril ; sa pensée était féminine, et,
de toute façon, la fille travaillait, ou avait un moment travaillé,
dans une unité de nouveau-nés.

Un long silence s'ensuivit. L'horloge à piles ne pouvait pas
s'empêcher de faire tic-tac avec douceur et précaution ; et les
rideaux bougeaient sous une brise très légère.

— Vous auriez pu allumer le gaz, dit Johnny.

— Tu aurais pu l'allumer, dit Joan. L'obscurité lui donnait
de l'assurance.

— T'as raté ton programme, papa ?

Mais Harry ne lui répondit pas

— Je te dis ça comme ça, Avril. Je ne sais pas ce que tu en
penses, mais je disais à la mère de Johnny que Mussolini avait
des idées justes.

— C'était quoi ? dit Avril.

— Mon père est sur le point de délivrer un apophtegme
politique, dit Johnny. Mets-toi à l'abri.

— Le père de Johnny ne fait qu'être difficile, dit Joan.

— Quelle est cette odeur épouvantable ? dit Johnny reniflant
l'obscurité.

— Je pense que c'est agréable, dit Avril. Je pense que c'est
plus ou moins comme dans une église.

— Faites venir les troupes, dit Harry. Prenez quatre hommes
au hasard. Toi, toi, toi, toi. Sortez de l'usine. Exercice de
baïonnette. Voilà, c'est ce que j'aime comme genre de cours
expéditif en relations humaines dans l'entreprise.

— Plus expéditif que cours, dit Johnny.

Mais Avril n'était pas d'accord.

— Je pense que c'est une merveilleuse idée, M. O Moorithe. Après tout, les classes ouvrières se mettent en tête des idées bien au-dessus de leur condition. Ils croient qu'ils peuvent rançonner le pays contre de l'argent.

— Comme tu as raison, Avril, dit avec chaleur Harry. Comme tu as raison.

— Mais est-ce que ce ne serait pas une meilleure idée que de leur couper d'abord les bras et les jambes ?

(Avril n'était pas plus impudente que Johnny. Je la connais depuis longtemps et je l'ai toujours vue facilement intimidée et déconcertée, une sorte de complexe venu de sa peau, qui est si blanche qu'elle bronze difficilement même avec un minimum d'exposition sur le banc dans le solarium. Mais cet après-midi même elle avait été en train de mesurer la tention artérielle d'un patient plutôt beau dans le service des Admissions, et le dos de la main du patient avait touché le ruban de la montre qu'elle portait sur son sein gauche. Ce ne fut qu'un moment, une question de secondes. Mais cela avait été délibéré. De cela elle était certaine. Et cette certitude l'avait consolée.)

— Eh bien, dit Harry, se permettant encore un léger râle. Voilà qui me remet à ma place, n'est-ce pas ?

Le silence s'allongeait comme un morceau de chewing-gum entre les doigts d'un enfant. La pendule à piles continuait à faire son tic-tac d'une façon consciencieuse et désespérée, comme un homme lâchant un vent en société ; et les rideaux se tordirent, mais à peine.

— Je vais mettre… la bouilloire, dit Joan.

— Mam, dit Johnny. Pas d'électicité. *Ergo*, pas de thé.

— Je ne réfléchissais pas. Je dois être… fatiguée.

— Il est temps de partir, dit Avril. Elle avait des regrets, maintenant.

— Et de vous permettre tous les deux de retourner à… à…, dit Johnny, dont l'érection commençait à se tasser.

— On ne faisait que causer, dit Harry.

— Nous étions en train… d'évoquer le passé…, dit Joan.

— C'est ce qu'il y a de bien avec les coupures d'électricité, dit Harry. Cela vous donne le temps de causer. Tu n'es pas simplement assis comme un zombie devant la boîte à loucher. Et au moment d'aller te coucher, tu es incapable de te rappeler ce que tu regardais. Non, ta mère et moi nous nous parlions. Pensant au passé. Il y a tant de choses à se rappeler. Et de choses à venir, bien sûr.

— On évoquait ta couverture, Johnny. Johnny avait une couverture, Avril. À cette époque il n'était qu'un petit enfant. Les gens ne cessaient de le couvrir de jouets, tu sais le genre d'ours en peluche que les gens achètent. Mais il ne montrait aucun intérêt pour tout cela. Tout ce qu'il voulait c'était sa vieille couverture sale. Il ne pouvait pas dormir sans elle. Il la prenait même à Montessori dans son cartable.

— Et les jeux avec lesquels il jouait, dit Harry. Avec ses billes et ses soldats de plomb. Il les alignait au fond de la pièce et les visait avec une bille de l'autre bout. Tu aurais dû voir la plinthe. Des écailles ici, des écailles là, des écailles partout. De bonnes années. Les plus belles années. Nous pensions au passé… à tout ça…

— On peut passer des heures… à penser au passé, dit Joan.

— Des jours et des mois. Toute une vie.

— Nous n'avions même pas remarqué qu'il faisait…

— Noir autour de nous.

— Tellement nous étions absorbés, dit Joan.

Johnny était furieux. Furieux, mais aussi mortifié. Son érection s'était effondrée.

— Eh bien, dit-il, nous ne voulons pas interrompre la fête. Ou est-ce une séance de spiritisme ? Couvertures et billes. Comment pouvaient-ils lui faire ça ? Et quelles étaient ses chances maintenant avec Avril de l'allonger sur ses genoux dans sa tenue d'infirmière ? Merde. Elle voudra parler de cette enfance.

— Corrigez-le, Mme O Moorithe, dit Avril. Il a besoin d'une bonne tape sur l'oreille.

— Votre prédécesseur visait assez haut quand il s'agissait de ce genre de chose, dit Harry.

— Pater, dit Johnny, ce n'est pas parce que tu as raté Benny Hill que tu dois être grossier.

— Est-ce que vous regardez *Benny Hill*, M. O Moorithe ? dit Avril.

— Qui, répondit-il, est Benny Hill ?

— Oh, vous l'aimeriez. C'est un numéro. Un peu effronté, mais il vous fait rire. Johnny dit que c'est un vieux cochon, mais je l'aime bien.

Harry décida qu'Avril n'était pas si mal. Mais le désespoir de Johnnny était devenu plus profond.

— Qu'est-ce que nous sommes en train de faire ici, dans le noir ? dit-il.

— Les coupures d'électricité rendent bizarres, dit sa mère.

— *Andiamo*, décida Johnny. Avril Airlines annonce le départ de son vol.

— Où est-ce que vous allez ? dit Harry. Il voulait qu'Avril continue à parler de *Benny Hill*. C'était étrange, mais il trouvait ça plutôt émoustillant.

— Nous partons pour *The Seventh Heaven*, dit Johnny.

— J'irais bien sur-le-champ si je savais où le trouver, dit Harry.

— Si j'avais su donner un coup de fil à mes parents, dit Avril.

— Appellez du club.

— Restez un peu, dit Harry. Il est tôt. S'il vous plaît.

— Oui, pourquoi êtes-vous pressés ? dit Joan.

En vérité, Harry avait un peu peur de se retrouver seul avec Joan. Pourquoi est-ce qu'elle s'était bêtement lancée dans cette histoire de couvertures et de jouets qu'on dorlote ? Et Joan était un tantinet plus qu'effrayée de se retrouver seule avec Harry. En ce moment, les glaçons auraient fondu dans le freezer, et

Harry détestait son whisky sans au moins trois glaçons.

— Il y aura de la lumière d'une minute à l'autre maintenant, dit Harry. Vous verrez. Vous pourriez même regarder le programmme dont vous parliez.

Mais Johnny campa sur sa position.

— Adieu, *bye*, *bye*, ne nous oubliez pas.

— Je pense que je devrais… dit Avril.

— Restez, dit Joan. Et elle pria pour que la lumières revienne ; elle pria pour chasser l'obscurité qui désorientait tellement.

— Un définitif et dernier *ciao*, dit Johnny. Ça l'enchantait de voir ses parents les supplier. Supplier ouvertement. Son érection se mit à bouger de nouveau.

— Attachez vos ceintures de sécurité, dit son père s'avouant vaincu et abandonnant la partie.

— Nous prendrons toutes les précautions, dit Johnny. Il pourrait trouver un journal à la boutique au coin de la rue. À moins qu'elle ne soit fermée à cause de la coupure d'électricité. De toute façon, il y avait des douzaines de kiosques à journaux sur le chemin du club.

— On se verra, dit Avril, qui n'avait vu ni l'un ni l'autre.

— C'est ça, dit Johnny. Nous nous verrons à l'avenir sous une lumière différente.

Et les deux partirent, un point c'est tout.

Quand la porte du couloir se fut refermée avec un bruit, il y eut un court silence. Je ne vais pas parler de la pendule à piles ni des rideaux parce que ce détail a été bel et bien évoqué, et vous-même vous pouvez l'imaginer. Après tout, nous sommes dans le même bain.

— Alors, dit Joan.

— Eh bien ?

— Hmm ?

— Rien, dit Harry.

— Gentille enfant.

— « Si j'avais su donner un coup de fil. »

— Quoi ? dit Joan.

— « Si j'avais su. » Ce n'est pas comme ça qu'on dit. Si je pouvais donner un coup de fil.

— Quoi ?

— Oublions ça.

Il n'avait pas encore songé au whisky ou aux glaçons. Peut-être restait-il encore du temps pour éviter le sujet.

— Elle affiche une grande confiance en soi, dit Joan.

— Je l'aime bien.

— Elle est comme une girouette.

— Elle est très… féminine.

Joan était atterrée. Harry avait toujours été fou de Shelley, même s'il avait tendance à confondre son nom de famille et à l'appeler Winters plutôt que Brennan.

— Est-ce qu'il y a pleine lune cette nuit ? lui demanda-t-elle.

Harry se confessa. On a tendance à le faire dans le noir.

— J'ai aimé ce qu'elle a dit à propos de *Benny Hill*. C'était si naturel.

— Je pense que nous devenons tous fous, dit Joan.

Mais Harry l'avait décidé dans sa tête, de la même façon que Joan appliquait son maquillage : lentement et avec application.

— Oui, dit-il. Elle est plus naturelle que Shelley.

C'était plus qu'une affirmation. C'était une conviction. Harry sentit qu'il méritait un verre. Un double, en plus. Et pourquoi pas ? Qui était là pour voir ? Alors il se déplaça lentement le long du sofa dans la direction générale de la cuisine.

— Nom de Dieu, nom de Dieu, Harry, regarde ça. Tu as fait tomber la bougie ! Elle a dû laisser de la cire partout sur le tapis.

— Et alors ? dit Harry. Ça s'enlève.

— Ça s'enlève ? Et tout seul, je suppose ?

— Est-ce que tu veux bien te calmer ? cria Harry.

— Ça ne s'enlève pas « tout seul » sanglota Joan. C'est moi qui l'enlève. À la main et à genoux, voilà comment.

— Il n'y a pas une pilule que tu pourrais prendre ? dit Harry.

Il venait de se rappeler que le freezer ne marchait pas et que les glaçons avaient fondu. À quoi bon un whisky sans un glaçon ? Un gin sans un tonic, voilà ce que c'était.

— Et cela empue toute la maison, dit Joan.

Elle était en larmes maintenant. C'était sa foutue manière d'être. Elle faisait un effort pour les étrangers. Pour son propre mari ce n'était pas la même chose. C'était l'enfer une fois que la porte d'entrée se refermait.

— Couvertures, cracha Harry. Au nom du Christ où voulais-tu en venir quand tu parlais des couvertures ?

— Tu n'as pas été meilleur, pleura-t-elle. Tu n'as pas été meilleur avec tes billes.

— Vingt heures, dit Harry, dents serrées. Vingt heures. Les salauds. Ils ont dit qu'à vingt heures on serait hors de danger.

— Je sais, lui cria Joan. Je sais.

— Mussolini avait raison. Fusiller jusqu'au dernier individu. Au diable tout le monde. Au diable le monde entier.

Et la lumière revint. Des rideaux délicats de dentelle blanche flottaient dans l'air par la fenêtre ouverte, et de la cuisine, au-dessus du bourdonnement du frigo de couleur pêche, Harry et Joan pouvaient entendre le bruit fragile de la pendule à piles, avec un craquement comme des allumettes qui se cassent. Pendant un court instant le mari et la femme se regardèrent : l'homme avec sa moustache souillée et une petite fêlure dans le verre de ses lunettes ; la femme dans sa robe d'intérieur avec une aiguille et un fil attachés dans le revers de linon, et les cheveux luisants et bruns, avec du gris aux racines. Aussi longtemps que ce moment dura ils regrettèrent l'obscurité. Mais le moment passa, comme toutes choses insupportables doivent faire. La lumière était une chose, le retour de la lumière une autre. Ça c'était un mot à strictement garder pour Noël.

— Eh bien, un miracle, dit Joan.

— Le pouvoir de la prière, dit Harry.

— Comme ça.

— Tout est bien qui finit bien.

— Je devrais faire le tour de la maison, dit Joan avec inquiétude. J'ai laissé les lumières partout.

— Que la lumière éternelle brille sur nous, dit Harry.

Cela ne prendrait pas plus d'une heure ou un peu plus pour que les glaçons se forment de nouveau.

— Quelle heure est-il ?

— Neuf heures moins dix, dit Joan.

— Hourra. J'aurai les dix dernières minutes de *Benny Hill*. Et puis il y a *Dallas* à dix heures. C'est ce soir que *Dallas* passe ?

— Comme si tu ne ne le savais pas très bien toi-même ?

— Alors nous sommes sauvés. La crise est évitée.

— Tout à fait juste.

— Tout à fait juste, renchérit Harry.

— Au sec, dit Joan tandis qu'elle coupait le plafonnier et une des lampes sur une table.

— Au sec, répéta Harry. Au sec ou échoués ? Je ne sais jamais comment il faut dire.

Joan fit retomber la fenêtre, et les rideaux restèrent tranquilles. Harry appuya sur les touches de la télécommande. Le bruit des chaînes se mit à couvrir le bruit de la pendule à piles.

Extrait de *Adventures in a Bathyscope*.

ANNE ENRIGHT

[Elle possède] chaque chose

Souvent Cathy se trompait, elle trouvait ça plus intéressant. Elle se trompait sur le goût de la banane. Elle se trompait sur l'avenir de la livre. Elle se trompait sur la direction que prendrait sa vie. Elle aimait des angles, des surprises, des changements de lumière.

Parmi tous les destins qui auraient pu être le sien (célibataire, meurtrière, savante, sainte) elle choisit de travailler derrière un comptoir de sacs à main à Dublin et de prendre ses vacances au soleil.

Pendant dix ans elle vécut en compagnie de gants et près de parapluies, leurs couleurs timides et soigneusement enroulées. Le comptoir de sacs à main voyageait à travers le bleu marine et le brun jusqu'au noir classique. Des jaunes, des rouges et des blancs se trouvaient d'un côté, et toutes les variétés en plastique étaient laissées dehors sur des stands, qu'on pouvait voler.

Cathy n'aurait pu vous dire à quoi le comptoir de sacs à main ressemblait. Il était à elle. Il dégageait une odeur de rêve de cuir. Il n'était jamais tout à fait en ordre. En dépit des espaces rapprochés et intimes des gants et la générosité béante des sacs proprement dits, le discret désordre qui formait le comptoir des sacs à main se trouvait juste au-delà de son contrôle.

Elle vendait des sacs qu'on agrippe pour des gens qui cramponnent ; des peaux d'animal pliées où l'on n'aurait pu glisser un paquet de cigarettes, ou de l'argent à moins que ce ne soit des billets, ou un trousseau de clefs. « Juste une carte de crédit et un préservatif », dit une jeune femme à une autre jeune femme et Katty ressentit de la douleur que les temps changent.

Elle vendait le sac classique, lisse et raide et incroyablement vaste – le sac le plus vendu, le sac au chien fou, avec une fermeture en dur, ou avec un rabat qui se replie et l'effluve de son parfum le plus coûteux. Elle vendait à des jeunes femmes des sacs de toile ou en suède assez vastes pour contenir une vie, un change de sous-vêtements, un roman, un spray déodorant.

Les visages des femmes lorsqu'elles faisaient leurs choix étaient pleins de lignes qui n'aboutissaient nulle part, tendus par les problèmes de cuir, le prix, la vulgarité, la couleur. Cathy assortissait les yeux bleus à une bordure bleue, une bouche modeste à un suède lisse et de couleur prune. Elle vendait du cuir verni au cliquetis des talons hauts, tançait des femmes qui avaient oublié de prendre des réticules nets et rupins. Tranquillement, l'une après l'autre chaque cliente était guidée vers le choix inévitable et surprenant du sac qui n'était pas « elle » mais un pas au-delà de ce qu'elles pensaient qu'elles pourraient être.

Cathy savait la raison d'être des sacs. Elle-même mettait tout (ce qui ne constituait pas grand-chose) dans une poche, ou dans l'autre.

Elle divisait ses femmes en deux catégories : celles qui pouvaient et celles qui ne pouvaient pas.

Elle n'avait pas beaucoup d'affection pour celles qui pouvaient, elles n'avaient pas besoin d'elle, et elles avaient souvent tort. Leur secret n'était pas un secret de classe, bien que cela pouvait être utile, mais plutôt de croyance, et comme toute question de croyance, cela impliquait certains mystères. Comment, par exemple, est-ce qu'on *croit* en bleu marine ?

Il y avait aussi des femmes qui ne pouvaient pas. Une femme, par exemple, ne pouvait PAS porter du bleu. Une femme qui pouvait porter une robe imprimée, mais PAS à côté de son visage. Une femme qui pouvait porter des colliers en grains, mais PAS des boucles d'oreilles. Une femme qui menait une vie secrète de souliers trop exotiques pour elle, ou une autre qui ne pouvait ni passer devant un comptoir de parfums ni acheter un parfum, à moins que ce ne soit pour quelqu'un d'autre. Une femme qui rentre à la maison avec de la gelée royale chaque fois qu'elle esssaie de s'acheter un chemisier.

Une femme qui pleure dans le département lingerie.

Une femme qui rit en essayant des chapeaux.

Une femme qui achète deux manteaux de couleurs différentes.

Le problème devenait dramatique quand elles amenaient leurs filles pour faire du shopping. Cathy pouvait sentir ces couples du département Cuisine.

Cathy se maria tardivement et ce ne fut pas une tâche de tout repos. Elle dut trouver un homme. Une fois qu'elle en eut trouvé un, elle découvrit que la ville en était pleine. Elle devait parler et rire et se montrer tendre. Il lui fallut choisir. Est-ce qu'elle aimait un homme de haute taille avec des yeux doux d'un brun noisette ? Est-ce qu'elle aimait cet homme blond aux yeux bleus de névrosé ? Que pensait-elle de son propre visage, avec ses encoches et ses bosses ?

Elle choisit la voie la plus facile avec un gentil instituteur de Fairview et une cérémonie devant fonctionnaire. Elle le vola à une jeune femme étourdie au regard fuyant. Cathy lui aurait

vendu un sac Gladstone en tapisserie, un qui « ne convenait pas »
mais qui « allait » quand même.

Le sexe fut une surprise agréable. C'était une activité si
singulière, il semblait la disperser et la rassembler tout à la
fois.

Un jour Cathy tomba amoureuse d'une femme délurée et
élancée qui se dirigeait vers son comptoir et son sourire et elle
eut l'impression de la lever avec la même aisance que pour un
sac d'épaule de veau d'Argentine brun tabac, avec des panneaux
incrustés de cuir tissé, une doublure de peau de porc et une
fermeture à bouton-pression. Ce fut plutôt une surprise.

La femme, dont les yeux étaient d'une teinte fatiguée de bleu,
demanda son avis à Cathy, et Cathy s'entendit dire :

— SAUTEZ DEDANS CHÉRIE, L'EAU EST JUSTE À LA BONNE TEMPÉRATURE
— une phrase qu'elle avait dû piquer à un téléviseur. La femme
ne broncha pas. Elle dit :

— Est-ce que vous l'avez en noir ?

Brun telle était la couleur du sac. Cathy était déçue par cette
trahison. Le tissage disparaîtrait dans le noir, la teinte était tout.
Cathy dit :

— Le brun vaut le coup, même s'il faut de nouveaux souliers.
C'est vraiment un sac superbe.

La femme, cependant, n'acheta pas le brun ni ne défendit
le noir. Elle frotta le cuir du bas de son pouce au moment de
reposer le sac. Elle regarda Cathy. Elle montra du désespoir.
Elle détourna ses épaules larges et sportives, ses cheveux secs
et oxygénés et son nez avec une bosse dessus, poussa un petit
soupir et quitta le magasin.

Cathy passa le restant de la journée à penser, non pas à ses
mains, avec leurs grandes phalanges, mais à ses seins, qui étaient
bien espacés et regardaient dans les deux sens, l'un vers les

parapluies, l'autre vers les écharpes. Elle se demanda aussi si la femme avait un collier de lignes qui pendait aux hanches, si elle avait jamais été touchée par une femme, ce qu'elle pourrait dire, ce qu'elle-même pourrait répondre. Si ses plis et replis étaient les mêmes que chez elle ou bien aussi différents qu'une jonquille l'est d'un narcisse. Ce fut une après-midi très lyrique.

Cathy se mit à faire des bêtises. Elle se trompait. Elle vendait des sacs qui ne convenaient pas à des femmes à qui ils ne convenaient pas et elle finit par ne plus conseiller. Elle attendait qu'une autre femme prenne dans sa main le sac de tabac brun pour voir ce qui pourrait se produire. Elle vendait à la va-comme-je-te-pousse. Elle regardait chaque femme qui passait chez elle et simplement elle ne savait plus comment les aborder.

Elle aurait pu, bien sûr, changer de travail. Elle pourrait, par exemple, travailler comme femme de ménage dans un hôpital, dans le service de cardiologie, qui était plein de possibilités.

Les femmes n'avaient pas de crises cardiaques. Elles venaient aux heures de visite et parlaient trop ou pas du tout. Elle pourrait deviner qui aimait simplement ou en silence. Elle pourrait reconnaître celles qui auraient pu aussi bien haïr. Elle pourrait regarder leurs sacs sans *a priori*, tandis qu'elles les posaient sur les couvertures, ou les ouvraient pour un Kleenex. Elles pourraient même y laisser tomber une larme.

Cathy vida son compte à la Caisse d'épargne et s'amena au département des chapeaux avec un sac en plastique débordant de billets de banque. Elle dit : « Ramona, je veux acheter tous tes chapeaux. » Elle fit de même aux chaussures, mais précisa la taille, 5 1/2. Elle ne faisait pas d'histoire quand elle essuyait un refus. Elle garnit de billets la caisse enregistreuse de son propre comptoir, appela un taxi et se drapa avec les sacs, autour de son cou et dans ses bras. Toutes sortes de gens la regardèrent.

Puis elle se mit au lit pour une semaine, se sentant légèrement honteuse.

Elle conserva le sac fatal, celui à peau de veau brun avec un bouton-pression. Elle le maltraita. Elle l'utilisa même pour porter des choses. Elle commença à coucher à droite et à gauche.

Extrait de *The Portable Virgin*.

NOTICES SUR LES AUTEURS

Leland Bardwel (née en 1928). Née en Inde de parents irlandais, elle part très tôt en Irlande où elle vivra désormais. Elle écrit ses premiers recueils de poèmes et de nouvelles : *The Mad Cyclist* en 1970, *Girl on a Bicycle* en 1977, *That London Winter* en 1981, *The Fly and the Bed Bug* en 1984, *Different Kinds of Love* en 1987, *There We Hare Been* en 1989, un essai : *Dostoevsky's Grave* paru en 1991, et *The White Beach* regroupant la plupart de ses poèmes écrits entre 1960 et 1998. Sa poésie a influencé de nombreux poètes irlandais.

Elizabeth Bowen (1899-1973). De son nom d'État-civil, Dorothea Cole, Elizabeth Bowen est née à Dublin, dans un domaine donné par Cromwell à ses ancêtres. Élevée dans le Kent, elle partagera par la suite son existence entre l'Irlande, l'Angleterre, l'Italie et la France. Comparée parfois à Virginia Woolf, elle partage avec elle le goût des descriptions, du détail, des ambiances victoriennes opulentes et calmes derrière lesquelles se cachent les déboires du cœur, la solitude des âmes sans amour. C'est en 1923 que la publication de son premier recueil de nouvelles, *Encounters*, (*Rencontres*) la révèle au grand public. De nombreux autres suivront : *Joining Charles* (*Rejoindre Charles*) en 1929, *The Cat Jumps* (*Le Saut du chat*) en 1934, *Look at all Those Roses* (*Regardez toutes ces roses*) en 1941, *The Demon Lover* (*L'Amant diabolique*) en 1945, mais ce sont surtout ses romans qui sont connus :*The Hotel* (*L'Hôtel*) en 1927, *The House of Paris* (*La Maison à Paris*) en 1935,

The Death of the Heart (*Les Cœurs détruits*) en 1938, *The Heat of the Day* (*L'Ardeur du jour*) en 1949.

Shane Connaughton (né en 1946). Né dans le Cavan, Shane Connaughton a vécu de nombreuses années à Londres où il fut comédien, scénariste et auteur de fictions pour la radio-télévision irlandaise. On lui doit, entre autres, le scénario du film, *My Left Foot* avec Daniel Day Lewis (dont il est le coscénariste avec Christy Brown). Ses premières œuvres à succès sont *A Border Station* en 1989, un recueil de nouvelles, et un roman, *The Run of the Country*, en 1991, racontant la vie d'un policier et de sa famille aux prises avec les sympathies de son propre fils pour l'IRA.

Ita Daly (née en 1945). Née dans le comté de Leitrim, à Connach. Son premier grand succès arrive en 1980 lorsqu'elle publie son premier recueil de nouvelles, *The Lady with the Red Shoes* (*La Dame aux souliers rouges*), date à laquelle elle abandonne son emploi de professeur. D'autres ouvrages suivront alors régulièrement, recueils de nouvelles et romans : *Ellen* en 1986, *A Singular Attraction* en 1987, *Dangerous Fictions* en 1989, *All Fall Dawn* en 1992, *Unholy Ghosts* en 1996. Parallèlement, Ita Daly est auteur de contes pour enfants avec deux ouvrages : *Candy on the Dart* en 1989 et *Candy and Sharon Olé* en 1991.

Anne Enright (née en 1962). Née à Dublin où elle vit toujours, Anne Enright a été productrice et réalisatrice de télévision. Elle a écrit *A Portable Virgin* en 1991 et *The Wig My Father Wore* en 1995.

Desmond Hogan (né en 1951). Né dans le Galway, Desmond Hogan a publié divers romans, recueils de nouvelles et pièces de théâtre jouées à Dublin. Son premier succès arriva en 1978 avec son recueil de nouvelles, *Diamonds at the Bottom of the Sea* (*Diamants au fond de la mer*), mais son plus grand succès est dû à son roman, *A Curious Street* (*Une rue curieuse*) paru en 1984. Ses autres succès furent *A New Shirt* (Une chemise neuve) en 1986, *The Mourning Thief and Other Stories* en 1987, *A Link with the River* (*Un lien avec la rivière*) paru en 1989.

Mary Lavin (1912-1996). Née aux États-Unis, à Walpole dans le Massachusetts, Mary Lavin fut élevée en Irlande où elle fit ses études à Trinity College. Considérée par certains comme le pendant irlandais de

Katherine Mansfield, ses œuvres sont surtout consacrées aux états d'âme de ses personnages plutôt qu'à leurs actions. Mary Lavin excelle à décrire les maux du cœur, la solitude morale, le désespoir, la désillusion. Imprégnée des malheurs et des douleurs que connut l'Irlande tout au long de son histoire, Mary Lavin nous montre des personnages en butte à la séparation d'avec des êtres chers, à leur dispersion dans le temps et dans l'espace, mais elle est aussi un peintre noir et sarcastique des travers de cette société aux prises avec ses tabous, ses idées reçues et son hypocrisie, son attachement à la religion et le sentiment de culpabilité qui en découle. Mary Lavin est surtout connue pour ses recueils de nouvelles : *Tales from Bective Bridge* (*Contes de Bective Bridge*) en 1942, *The Becker Wives* (*Les Dames Becker*) en 1946, *A Single Lady* (*Une dame seule*) en 1951, *Selected Short Stories* (*Nouvelles choisies*) en 1959, *Short Stories of Mary Lavin* en 1964, *In the Middle of the Fields* (*Au milieu des champs*) en 1967, *Les Vivants et les Morts* en 1979, *Nouvelles irlandaises* en 1985, mais son roman, *The House in Clewe Street* (*La Maison de la rue Clewe*) en 1945, rencontra également un énorme succès. Elle écrivit régulièrement pour le *New Yorker* et obtint de nombreux prix littéraires.

Bernard Mac Laverty (né en 1942). Né en Irlande du Nord, à Belfast, Mac Laverty a commencé à travailler comme technicien dans un laboratoire médical avant de quitter Belfast pour s'installer en Écosse. Auteur de nouvelles, il publie plusieurs recueils, *Secrets and Other Stories* en 1977, *A Time to Dance* en 1982, *The Great Profundo* en 1987, *Walking the Dog* en 1994. Son premier roman, *Lamb*, paraît en 1980. En 1993 sort *Cal*, son second roman racontant la relation amoureuse entre un jeune terroriste et la veuve de sa victime. Son troisième roman, *Grace Notes*, paraît en 1997.

Bryan Mac Mahon (1909-1998). Né à Listowel dans le Kerry, il fit ses études au collège Saint-Patrick avant de s'inscrire dans l'Éducation nationale. Ses premiers textes évoquent l'Irlande rurale et la vie de ses paysans, notamment *The Lion Tamer and Other Stories* (*Le Dompteur de lion et autres nouvelles*) paru en 1948. Son roman, *Children of the Rainbow* (*Les Enfants de l'arc-en-ciel*), paru en 1952, dépeint la région Nord du Kerry. Ses autres livres à succès sont : *The Red Petticoat* (*Le Jupon rouge*) en 1955, *The End of the World* (*La Fin du monde*), *The Sound of Hooves* (*Bruits de sabots*) en 1985, des textes plus psychologiques que descriptifs. En 1992, il publie son autobiographie, *The Master*.

Aidan Mathews (né en 1956). Né à Dublin où il vit, Aidan Mathews est producteur-radio mais également poète, auteur de pièces radiophoniques et de pièces de théâtre parmi lesquelles *The Diamond Body* montée par The Project Theatre Dublin, et *Entrance, Exit* montée au Peacock Theatre de Dublin. Il a publié des recueils de nouvelles : *Adventures in a Bathyscope* en 1988 et *Lipstick on the Host* en 1992, ainsi qu'un roman, *Muesli and Midnight* en 1990. Il est en outre lauréat de plusieurs prix, The Irish Times Award en 1974, The Patrick Kavanagh Award en 1976, The Macauley Fellowship en 1978 et 1979, et l'Academy of American Poets Award en 1982.

Frank O'Connor (1903-1966). À l'état-civil, Michael Francis O'Donovan, il est né à Cork. Il fit ses études dans sa ville natale où il eut comme professeur un autre célèbre écrivain irlandais, Daniel Corkery, auteur entre autres de *A Munster Twilight* (*Crépuscule dans le Munster*) et de *The Hounds of Banba* (*Les Chiens de Banba*). Très engagé politiquement, O'Connor entre dans l'IRA dès la fin de la Seconde Guerre mondiale, ce qui lui vaudra d'être arrêté et incarcéré, période qu'il mettra à profit pour parfaire sa connaissance de la langue et de la culture gaéliques. Libéré, il devient bibliothécaire à Cork, où il publie, en 1931, sa première nouvelle, *Guests of the Nation* (*Les Hôtes de la Nation*) qui le rend immédiatement populaire et dans laquelle il décrit le destin tragique d'un groupe d'amis irlandais et anglais contraints de s'entre-tuer pour rester fidèles face à une certaine logique politique. Il s'installe ensuite à Dublin où il occupera le poste de bibliothécaire, avant celui de directeur du célèbre Abbey Theatre, de 1936 à 1939, pour finalement démissionner en réaction contre la censure. Après ce coup d'éclat, il décide se s'expatrier aux États-Unis où il donne des cours dans différentes universités. Il rentre ensuite à Dublin, en 1962, où il enseigne la littérature irlandaise à Trinity College. Ses œuvres, dans lesquelles il décrit sans cesse les habitudes de la petite bourgeoisie catholique des provinces irlandaises, sont très nombreuses, des pièces de théâtre, des romans (*The Saint and Mary Kate* en 1932, *Dutch Interiors (Intérieur Irlandais)* en 1940, et de plusieurs recueils de nouvelles auxquels il doit aujourd'hui sa réputation d'auteur à succès : *Bones of Contention* en 1936 (*Pommes de discorde*), *Crab Apple Jelly* en 1944 (*Gelée de pommes sauvages*), *The Common Chord* en 1947 (*Accord commun*), *The Stories of Frank O'Connor* en 1956 (*Nouvelles choisies*), *My Œdipus Complex and Other Sories* en 1963 (*Mon complexe d'Œdipe et autres nouvelles*), *Collection*

Two en 1964 (*Recueil Deux*), *Collection Three* en 1969 (*Recueil Trois*). Il a également publié une autobiographie, *An Only Child*, en 1961, ainsi qu'un texte inachevé, *My Father's Son*, en 1968.

Sean O'Faolain (1900-1991). Né à Cork dans le comté de Munster, comme son compatriote Frank O'Connor, Sean Faolain fit ses études à Dublin et à Harvard. Servant dans les rangs de l'IRA durant la guerre civile, il montre son engagement dès ses premiers textes, ce qui lui valut de voir son premier recueil de nouvelles, *Midsummer Night Madness* (*Folie d'une nuit d'été*), publié en 1932, interdit par la censure de son pays. À partir de 1936 commence sa période de plus intense écriture ; il publie une multitude d'ouvrages, des romans, *Bird Alone* (*Oiseau solitaire*) en 1936, porté au pinacle par la critique mais interdit par l'Église, *Come Back to Erin* (*Reviens à l'île d'Émeraude*) en 1940, des biographies, notamment de *Daniel O'Connell* en 1938, et de nombreuses nouvelles publiées en recueils : *A Purse of Sin and Other Stories* (*Une bourse de péché et autres nouvelles*), *The Stories of Sean O'Foalain* (*Nouvelles de Sean O'Faolain*) en 1958, *I Remember ! I Remember !* (*Je me souviens !*) en 1961, une pièce de théâtre, *She Had To Do Something* (*Il fallait bien qu'elle fasse quelque chose*) en 1938, qui sera jouée à l'Abbey Theatre de Dublin. Un dernier texte, *And Again* (*Encore une fois*) est paru en 1989. Sean O'Faolain s'est éteint à Dublin. Sa fille, Julia O'Faolain, née en 1932, est également devenue un auteur à succès.

Liam O'Flaherty (1896-1984). Né dans les îles d'Aran, à Inishmore, au large de Galway, Liam O'Flaherty projetait de devenir séminariste avant de renoncer au sacerdoce. Lors de la Première Guerre mondiale, il entra dans les Irish Guards mais fut grièvement blessé en 1917. Son fort engagement politique (il a pris part à la révolution irlandaise de 1922) l'a contraint à s'exiler hors d'Irlande où il était considéré comme *persona non grata* par les autorités. Par la suite il reviendra sur sa terre natale, aux îles d'Aran. Son œuvre est tout entière tournée vers l'histoire politique et sociale de son pays, depuis la grande famine de 1845 (son roman *Famine*, 1937), jusqu'aux heures noires de l'insurrection de 1916 (son roman *Insurrection*, 1950). Ses œuvres ont été largement traduites en français : *The Informer* (*Le Mouchard*) en 1925, *Spring Sowing* (*Semailles de printemps*), recueil de nouvelles, en 1924, *The Tent* (*La Tente*) en 1926, *The Assassin* (*L'Assassin*) en 1928, *The House of Gold* (*La Maison de l'or*) en 1929, *The Return of the Brute* (*Le Retour de la* *brute*) en 1929, *The Mountain Tavern* (*L'Auberge de montagne*) en 1929, *The Puritan* (*Le Puritain*) en 1931, *The Ecstasy of Angus* (*L'Extase d'Angus*) en 1931, *The Martyr* (*Le Martyr*) en 1932, *Skerrett* (*Skerrett*) en 1932, *Two Lovely Beasts* (*Deux jolies bêtes*) en 1948, *The Wounded Cormorant and Other Stories* (*Le Cormoran blessé et autres nouvelles*) en 1973. Plusieurs œuvres de O'Flaherty ont été portées au cinéma, notamment : *Le Mouchard* de John Ford, en 1935, avec Victor McLaglen, *Le Puritain* de Jean Musso, en 1937, avec Pierre Fresnay, Jean-Louis Barrault et Viviane Romance, *Dernière jeunesse* de Jean Mousso, en 1939, avec Raimu et Pierre Brasseur, et *Point noir* (*Up Tight*), remake du *Mouchard* réalisé par Jules Dassin en 1968, avec Julian Mayfield, Janet McLahan.

James Plunkett (né en 1920). Né à Dublin, dans la quartier de Sandymount, Plunkett (de son vrai nom James Plunkett Kelly) a fait sa scolarité à l'école des Christian Brothers où il a commencé à écrire ses nouvelles. Très vite il sera publié dans différents journaux d'obédience socialiste. Il entre ensuite à la *Dublin Gas Company* où il sera employé pendant sept ans. En 1945 il devient secrétaire permanent du Syndicat général des travailleurs irlandais. Par la suite il devient assistant à la radio irlandaise sur des émissions dramatiques. Il y deviendra producteur ainsi qu'à la télévision, tout en continuant d'écrire. C'est sur les conseils de Sean O'Faolain qu'il prendra comme thème essentiel de son œuvre Dublin et ses habitants. En effet, il décrit souvent cette ville dans ses ouvrages : *Strumpet City* (*Ville légère*) en 1969, *Farewell, Companions* (*Adieu, camarades*) en 1977, mais c'est à ses recueils de nouvelles qu'il doit la reconnaissance de la critique internationale et du grand public avec : *The Eagles and the Trumpets* (*Aigles et trompettes*) en 1954, *The Trusting and the Maimed* (*Confiants et éclopés*) en 1955, *Collected Stories* en 1977, *The Boy on the Back Wall and Other Stories* (*Le Garçon sur le mur de derrière*) en 1987, et *The Circus Animals* (*Les Animaux du cirque*) en 1990, un clin d'œil à William Butler Yeats.

William Trevor (né en 1928). De son vrai nom Trevor Cox, né dans le Cork, William Trevor vit en Grande-Bretagne où il écrit notamment pour la télévision, la radio et le théâtre, mais ce sont surtout à ses romans qu'il doit sa notoriété, romans qu'il publie à un rythme régulier depuis 1964, date à laquelle paraît son premier roman : *The Old Boys* (*Les Anciens Élèves*) qui sera suivi par *The Boarding House* (*La Pension de famille*) en 1965, *The Love Department* (*Le Département d'amour*) en

1966, *Mrs Eckdorf in O'Neill's Hotel* (*Madame Eckdorf dans l'hôtel d'O'Neill*) en 1968, *Elizabeth Alone* (*Elizabeth toute seule*) en 1973, *The Children of Dynmouth* (*Les Enfants de Dynmouth*) en 1976, et *Other People's Worlds* (*Les Mondes des autres*) en 1980.

REMERCIEMENTS

Nous remercions les éditeurs et ayants droit qui nous ont autorisés à reproduire les textes des auteurs suivants :

Leland Bardwell, *La coiffeuse* © Leland Bardwell.

Elizabeth Bowen, *Un après-midi de dimanche* © The Estate of Elizabeth Bowen. Représenté par Curtis Brown Group Ltd.

Shane Connaughton, *Affirmatif !*, extrait de *A Border Station* © Shane Connaughton, 1989. Publié avec l'accord de Penguin UK.

Ita Daly, *La dame aux souliers rouges* © Ita Daly. Reproduit avec l'autorisation de Christine Green Authors Agent.

Anne Enright, *[Elle possède] chaque chose* © Anne Enright 1991, avec l'autorisation de Rogers Coleridge & White Ltd.

Desmond Hogan, *Souvenirs du Swinging London* © Desmond Hogan, 1981, reproduit avec l'autorisation de Rogers Coleridge & White Ltd.

TABLE

LIAM O'FLAHERTY
Le franc-tireur 7
Départ en l'exil. 13

ELIZABETH BOWEN
Un après-midi de dimanche 29

SEAN O'FAOLAIN
Vivant impie et à moitié mourant. 41

FRANK O'CONNOR
Le bonimenteur. 55

BRYAN MAC MAHON
Retour de l'exilé 75

MARY LAVIN
Une journée humide 93

JAMES PLUNKETT
Classe ouvrière 111

WILLIAM TREVOR
Le champ de Kathleen 121

LELAND BARDWELL
La coiffeuse 149

BERNARD MAC LAVERTY
Dessin d'après nature 159

ITA DALY
La dame aux souliers rouges 177

SHANE CONNAUGHTON
Affirmatif ! 193

DESMOND HOGAN
Souvenirs du Swinging London 215

AIDAN MATHEWS
Dans le noir 231

ANNE ENRIGHT
[Elle possède] chaque chose 247

NOTICES SUR LES AUTEURS 253

REMERCIEMENTS 255

Ce volume,
publié aux Éditions Les Belles Lettres,
a été achevé d'imprimer
en février 2002
dans les ateliers
de Normandie Roto Impression s. a.
61250 Lonrai

N° d'éditeur : 4022
N° d'imprimeur : 020397
Dépôt légal : mars 2002